從《易經》談人類發展學

賴世烱 陳威瑨 林保全 著

文史哲學集成
文史哲出版社印行

國家圖書館出版品預行編目資料

從《易經》談人類發展學 / 賴世炯 陳威瑨
林保全著. -- 初版 --臺北市：文史哲,
民 102.02
頁；公分（文史哲學集成；634）
參考書目：頁
ISBN 978-986-314-087-0（平裝）

1.易經 2.研究考訂

121.17 102002743

文 史 哲 學 集 成 634

從《易經》談人類發展學

著　者：賴 世 炯 、 陳 威 瑨 、 林 保 全
出 版 者：文 史 哲 出 版 社
http:// www.lapen.com.tw
e-mail：lapen@ms74.hinet.net
登記證字號：行政院新聞局版臺業字五三三七號
發 行 人：彭 正 雄
發 行 所：文 史 哲 出 版 社
印 刷 者：文 史 哲 出 版 社
臺北市羅斯福路一段七十二巷四號
郵政劃撥帳號：一六一八〇一七五
電話886-2-23511028・傳真886-2-23965656

實價新臺幣三八〇元

中華民國一〇二年（2013）二月初版

ISBN 978-986-314-087-0 00634

從《易經》談人類發展學

目　　次

贈　序

「世變紛紜貞《易》道，烔仁璀璨賁儒心」
序賀《從易經談人類發展學》新著出版

《從易經談人類發展學》一書，係臺北護理健康大學運動保健系賴世烔教授執行國家科學委員會專題研究計畫，並結合筆者指導與受業學棣陳威瑨（臺灣師大國文系博士班）、林保全（臺灣大學中文系博士班）協同襄贊，而完成的研究成果體現，賴教授誠懇邀序，特嵌其名爲鳳頂格聯以爲標題，謹表衷心賀忱。

猶記 2011 年 1 月初，賴教授專函請求旁聽筆者開設於 99 學年度下學期之「《易》學專題研討」課程，賴教授與筆者既有同宗親誼，復兼任於本校體育學系，彼此志同道合，滿懷教育理想、蘄嚮《易》學德業，因此欣然同意所請，教學相長期間，切磋商論，心領神會，遂成爲學友道侶，可謂學術緣遇嘉話。賴教授來函中，嘗自言其學《易》進程與宗族溯源，曰：

> 由於喜歡《易經》這門學問，想向老師您學習這門課，因此下學期希望能去旁聽您的課。我對《易經》僅有初步瞭解，能排列基本的六十四卦和背誦卦名，但卦辭及爻辭等內容則尚在自修階段。有關有

> 緣和老師您同姓之事，我看過賴氏大族譜，我屬於行第公派，但其上則溯不到源頭，據同宗長輩說，要到平和縣去抄族譜才可能接到公譜上的祖先名字。相較於心田五美派之譜牒完整，實心嚮往之。古亦有楊廖賴曾勘輿名師，雖或屬不同分支，但總以賴姓為榮。

學《易》既是賴教授的興趣，慎終追遠、探本溯源，亦是後生晚輩無可逃避之基本責任。因此，在道統與血統之中，筆者積極鼓勵賴教授應從根本之《周易》經傳與宗族淵源入手；再結合其專業學養與教育理念，以符契宋儒程頤《伊川易傳・序》中，所謂「體用一源，顯微無間」之妙詣理趣。期中四月上旬，賴教授又來函自陳欲撰擬期末專題報告，曰：

> 期末我想報告的主題會和我的所學有關，即「動作變異性理論與《易經》關係探討」，這個主題我已經思考至少 3 年，而且也是我這個領域從來沒有人討論過的議題。現今學制與學術似乎都在講求跨領域整合：大學與技專整合，大學生多元能力整合，跨學科研究整合等等，我很慶幸有機會旁聽您的課程，非常受用於您在課堂上講解的所有《易經》相關知識，對於拓展個人眼界與學術整合方面，獲益匪淺。

賴教授即知即行，真積力久，學思並進，厚積薄發，因此撰就〈動作變異理論與《易》學關係初探〉論文，雖然投稿再三，而未能獲致青睞，順利登載於學報期刊之中，但閱讀賴教授於本書自序談及箇中的心路歷程，即可體會理解他的盡力不懈與用心至誠，慧識卓見，令人感佩不已！所幸此文賴教授已收錄於本書第十四章，讀者自可從其中領略賴教授的苦心孤詣，並能藉此文以窺觀《易》學會通動作變異理論的端倪究竟。

此外，筆者於 2011 年 8 月 27 日啓程應聘韓國外國語大學校中國學部客座教席；8 月 30 日，賴教授復來函問好請教，曰：

> 自六月拜別以來，因俗務紛紜，未能肅具寸函，聊致 992 學期旁聽老師《易》經課程之謝意，深感不安。昔因仰慕老師治《易》有方，著作等身，加之不才欲以《易》理對自身學術領域進行理論整合，卻有學慚窺豹之感，因此方有年初時唐突拜會老師旁聽之事。老師學貫中西，器度沖和，荷承傾囊相授，不才銘感難忘。悉聞老師至韓國研究一年，相較於待在系所的人事沓雜與臺灣社會的政經詭譎，能在異地倚欄讀書實是羨煞旁人。今造書一封，除感謝老師惠我良多之外，亦告知老師，我去年年底申請的國科會專題研究計畫已經通過，題為「《易經》與變異性理論課程對運動員生涯發展之影響」。過去數月受教《易》學於老師，使我對《易》理有更多觸發，這對整合我這個領域的動作變異理論有莫大幫助。最後，再與老師商榷一事，即是我國科會計畫可以聘請一位以《易》學為研究主題之博士班學生當兼任研究助理，想請老師可轉知您所認識的國文所博班學生此一計畫，工作內容為就其《易》學之所學，與我討論一系列以《易》學為本、可輔

> 助發展運動員生涯規劃能力之課程。事實上，我已經在自己過去開課課程中設計好一套以《易》學為主軸的課程，希望該博班學生每月至少與我會談二次，討論課程之適切性，一個月雖僅可支領 4000 元，但可領 12 個月，或也不無小補。

因此機緣，筆者遂轉介指導學生陳威瑨仁棣爲賴教授計畫兼任助理，襄贊執行計畫相關研究具體內容；其後，威瑨棣因榮獲國科會博士生「千里馬研究獎助」，前往日本京都大學移地研究一年，遂又轉請其碩士班學長林保全接續其助理工作，在二位優秀學棣鼎力協助之下，賴教授僅費一年計畫執行時間，即順利完成此一專書，其效率與成果可謂精實而豐碩，無負學志，克竟道業，令人稱羨而欽仰。

本書計分別爲十五章，第一章爲緒論，略述西方人類學及如何使用本書，可作爲導讀，方便學者窺觀門徑；並應與第十五章〈以《易經》理論爲基礎之人類發展學課程設計與實施〉，相觀而善。第二章介紹太極與六十四卦，以爲排卦基礎，即爲《易》學啓鑰入門。以下第三章至十三章，首選〈乾〉〈坤〉二卦，以論生死與宇宙；次選〈屯〉卦，以論經濟；三選〈蒙〉〈需〉二卦，以論教育；四選〈訟〉〈師〉二卦，以論法律與戰爭；五選〈泰〉〈否〉二卦，以論政治與人類盛世；六選〈同人〉卦，以論社會階層化；七選〈噬嗑〉〈賁〉二卦，以論宗教與藝術；八選〈剝〉〈復〉二卦，以論歷史與人格發展；九選〈咸〉〈恆〉二卦，以論感情與婚姻；十選〈遯〉卦，以論功成名遂與身退；終選〈既濟〉〈未濟〉，以論人生終點。凡以上十一章，論題十一，選卦十九，雖未及六十四卦之半，然大致中肯愜意，可提供讀者舉一反三，觸類旁通，賴教授擬以此書作爲教材啓發學生「以通神明之德，以類萬物之情」，相信一定能收到意想不到的教學效果與迴響。

筆者期待賴教授能本此基礎，精益求精，教有餘力，更應擴展到《周易》經傳全面性的探討闡論，方能總體整全賅備此一系統性之論述，《周易‧大畜‧彖傳》曰：「剛健篤實，輝光日新。」此課題尚有可爲，俟諸將來，深寄厚望焉。

賴貴三　2013 年 1 月 29 日
謹序於「屯仁學易咫進齋」
國立臺灣師範大學國文學系教授

序 一

筆者高中自臺中市衛道中學畢業後，即北上入臺北市立師範學院初等教育學系〈爲現今臺北市立教育大學教育學系前身，2004 年改制〉就讀大學，四年學畢後再入國立臺灣師範大學體育研究所攻讀碩士學位，隨後參加 88 年度〈1999 年〉教育部公費留考運動心理學學門考試中試，於 2000年6月赴美國賓州州立大學人體運動學系（Kinesiology）再讀博士學位，五年學成返國後，於國立臺北護理學院〈現爲國立臺北護理健康大學，2009 年改制〉運動保健系服務至今。

在美博士班求學期間，筆者之研究主題在於透過人類動作之變異理論，以探究動作產生之生成原理及動作結果之理論歸納。人體運動學之變異理論並非新論，而是建基在物理學、心理學、社會學、甚至是哲學等基礎學科知識體之上，而衍生出以適應人體運動學此一新興學科之應用科學。近來臺灣學界多將歐美系統所創之 SCI、SSCI、臺灣之 TSSCI 之論文發表者奉爲上客，許多教育指標及學術研究計畫亦往此一方向評量學術工作者，姑且不論政策之優劣宜庸，人類知識具有層累堆積之本質畢竟不變。《易》一名而含三義：易簡、變異、不易。由此觀之，欲探討人類動作之變異，如何能不往《易經》此第一手古籍經典及其相關衍生文獻〈如《易經》十翼之《易傳》〉中尋求更高層次之理論解釋？

約莫在2006年春天，因教授大二與大一必修科目人類發展學及心理學之需，我在敝校白色半圓形圖書館瀏覽，偶然中望及一書，是南懷瑾先生（1918-2012）《易經雜說》【南師已於2012年9月29日於中國蘇州「太湖大學堂」逝世，享壽95歲】，此事可記爲我接觸易學〈含《周易》之經與傳〉之濫觴。從此書契機出發，我便利用課餘時間自修易學，直到最近更持續聽講臺灣師範大學國文系賴貴三〈字屯如〉教授與臺灣大學哲學系傅佩榮教授之研究所易學課程，分別爲2011年2月至7月從屯如師習「易學專題研究」，2011年9月至2012年1月從傅老師學「易經繫辭傳研究」，及2012年9月至2013年1月再次沐學於屯如師「周易經傳研討」。事實上，經過2006-2007二年的自修，直至2008年春天寒假期間，我便已根據基礎易學及其相關理論，自行發展出一套融入易學精神之「人類發展學」課程及上課用講義，本書能夠付梓便是奠基於此。簡言之，我的習《易》歷程至今可略述爲：自修二年及教學五年〈其中含聽講易學大師賴、傅二人授課二年〉

而談到聽講課程之樂與從中所獲之觸類旁通，我必須提到2009年9月至2010年1月間，非常感謝臺灣師範大學歷史系葉高樹教授亦允許我旁聽其大學部三年級「清史」課程，2010年9月至2011年1月間，又再從其研習「史學方法」。讀《易》與讀史，讓我愈發尊重文史哲方面之研究，我感到今日科學已走得太過，現今臺灣社會或學術界應該多談些人文精神，然而人文與科學間之比重問題，仍要視時空因素而定。

本書第一章談及以西方觀點所呈現之人類發展學涵意及內容，旨在具體陳述本書與坊間一般人類發展學教科書立論基礎之異同。第二章名為「太極至六十四卦」，用意僅在提出六十四卦之基本排卦原理，對於各卦易理及內容指涉，並不做深入探討或解釋。第三章至第十三章分別論述依〈序卦傳〉之次序所衍伸出之十一個與人類發展息息相關之人生命題。而綜觀全書之文獻引用方式，此第三章至第十三章依文史哲方式引用，其他章節為 APA 格式。

2010 年 5 月及 10 月間，我參與「2010 年台北市青少年希望工程計畫工作坊」，擔任八場與運動心理學有關專題演講之講師，講題為「運動員的品格教育」。談品格便會談到人格與道德，事實上，這些意義相近之名詞並不僅限於運動員族群之討論，若去除運動員這種稱謂，運動員便是一般人，一般人便是任何人，無怪乎學者林德嘉（2002）亦曾主張運動員與企業家之人格特質並無二致。回到品格教育之主題，研究者以《易經》陰陽變異之理，及老子「自然之道」為主要脈絡以進行品格教育專題演講，正所謂人法地，地法天，天法道，道法自然（《老子·第二十五章》），運動員或一般人若能效法且尊重大自然，便是個有品格之個體。雖然每次演講時間僅有五十分鐘，聽講人員如高中及國中體育班高年級學生皆能喚醒自身對大自然些許崇敬之感。

有了上述理論探討與實際授課及演講經驗，並以在美國博士班所學之人類動作變異理論為基礎，2010 年 12 月恰逢國科會一年一度專題研究計畫申請，或許是一時之文思泉湧，我大約僅用了五個工作天，提出名爲「易經與變異性理論課程對運動員生涯發展之影響」，此專題研究計畫在 2011 年 7 月獲得通過。體育學門從未見過此一主題，因此在我的學術領域絕對是第一次。計畫能夠通過審查，對我來說是種鼓勵，也正因爲這個計畫，我邀請正就讀於國立臺灣師範大學國文系博士班同學陳威瑨，及國立臺灣大學中國文學系博士班同學林保全二人擔任此計畫的研究助理，以協助撰文寫作。我對易學研究有高度興趣，但在撰寫易理文章時則必然不如陳、林二人，本書與易學相關之經學立論與文字陳述，陳、林二人居功甚偉。

在此記錄值得一提之事。2011 年 5 月，我在聽講屯如師易學課程時期，僅費三日便撰成「動作變異理論與易學關係初探」之學術論文一篇【見本書第十四章】，並於該課程中向同修之國文所博碩班研究生分享論文中理論結合之新論點，獲致屯如師對此論文之鼓勵，屯如師並提供《莊子．天下》所提：「厤物之意，曰至大無外，謂之大一；至小無內，謂之小一。〈略句〉。無厚，不可積也，其大千里。天與地卑，山與澤平。日方中方睨，物方生方死。大同而與小同異，此之謂小同異；萬物畢同畢異，此之謂大同異。〈略句〉。氾愛萬物，天地一體也。」以統攝回應筆者人類動作變異理論之說。雖說惠施多方而言論似辯，此處或由莊子甚爲傑出弟子所撰〈天下〉篇之一段，從物理學及變異性理論立場來看，筆者倒是認爲名家邏輯亦有可觀之處。屯如師學識如滄海之闊，並能對不同學術知識予以旁徵博引之論述，余甚感聊慰。

何以用聊慰二字來抒發己思？上述「動作變異理論與

易學關係初探」論文自文章完成後，曾於 2011 年 8 月至 12 月間投稿至三個與運動科學相關之學術專業期刊，一稿不能多投，這代表該文章亦受到三次不予刊登之結果。此三期刊以下簡稱 A、B、C 期刊。

依國科會對此三期刊之分類，A 期刊與 C 期刊屬一級刊物，B 期刊則屬二級刊物。筆者本人曾擔任 A 期刊之編輯委員，原以爲此篇論文最適當之刊登歸屬應爲 A 期刊，尤其其中之一審查委員以較爲正面之觀點來評論筆者文章，其意見爲「本文藉由動作行爲學相關理論爲主，《易經》理念爲輔，進行二門不同專業領域之綜合評論。作者對於《易經》所提出之論點，強調自然現象論證的時間較現在行爲研究提前有數百年，並能就《易經》概念以深入淺出，對於人體動作之變異性做不同層面之詮釋。對於常年修習動作行爲之學者而論，作者詳盡地詮釋出許多具歸納與前瞻性的論點，對不同複雜與難解之行爲理論提出解釋，可做廣泛地彼此應用，更富含邏輯的應用空間。近代科學研究之發展與傳承，均由學術理論予以進行科學化之實驗與分析，著重在量化與理論推理以證實學者自身之學術理念。中國文化之博大精深實不在話下，但對於富含抽象與想像空間之《易經》或哲學觀點，須能透過符合科學研究的方法予以比較或推論，方能於國際間進行學術領域之分享與溝通。設想若將文章翻譯投稿國際期刊，其中《易經》的解釋與含意，對於全球不同語言與文化之人士，能否達到科學實證結果之交流與傳承？〈略句〉。本文對《易經》的基礎研究未有系統說明，建議若能補充《易經》的科學性與實證方法（如《易經》六十四卦），對於比較二者學術之研究成果方有客觀之依循，另應提出有關國際文獻對《易經》研究的結果，有無在動作行爲上之發現予以舉證，畢竟本學術刊物之性質與發展有高度的科學研究要求。」

該審者提到的問題是科學研究的大問題，不進行實驗方法之研究，在現今學術界中似爲小道，僅値一哂。因此本論文在 A 期刊中，到底是得到了「此篇稿件經審查老師及編輯領域委員決定後，您的這篇稿件涉及科學或哲學觀點呈現，建議您改投其他刊物，感謝您的投稿」之婉拒刊登。此一回應使我聯想到瑞士心理學家榮格（Carl Gustav Jung，1875-1961），他的一位筆友欲在歐洲成立一《易經》研習社，榮格的回應是：「如果你想要與西方人談論東方宇宙觀議題，包上『科學的外衣』比較好〈長尾剛，2011〉。」

當投稿至 B 期刊時，則得到以下回應：「感謝您對本刊物的支持。近日收到您的稿件『動作變異理論與易學關係初探』，經分科委員反應無法推薦適合之審查委員可以進行審稿，經過召集人與編輯委員開會後決定，此篇稿件將不予收稿」。這不是退稿，而是不能審。

再投回一級刊物之 C 期刊，僅依一位審查委員之意見，本文便被拒絕刊登，該審者意見摘錄如下：「本文的目的在以易學中的高度抽象化的概念，來統整動作行爲研究領域中的各種論及行爲變異的理論。其宗旨雖正面，但內容論述對於初學者理論的認識和進階者研究的啓發卻難以達預期目的。〈略句〉本文所提東西方所提出對於人類行爲的解釋，各有其發展背景與所要解釋的範圍，統整起來才能讓我們對於現象的了解有更爲完整的知識。而因爲所探討的都是人類的行為，所以總是會有共通的發現，但也有其需要互補的地方。強行的將其中一個納為另一個之下，似乎沒有意義，這樣籠統性概括的作法也不是了解動作行為的正確途徑。〈略句〉。整體看來，本文內容提到前後年代所發展出的動作行為理論，試圖與易學中的概念相比較，甚至以後者來涵蓋前者。但是，對於理論的核心和前後發展的背景沒有完整的介紹，亦無提出合理的脈絡，對於動作行為研究初步接觸的讀者來說，無法對於此領域的研究有清楚的認識，只是更加模糊。對於已經深入研究的學者來說，也難以有研究上的啓發和共鳴。以創作的角度來看，作者的創意十足，但從動作行為的理論知識和研究的啓發來說，沒有具體的貢獻」。這便是審者對全文之總結。

筆者此一動作變異理論論述之提出，原意在於將本領域相抗衡或相連結之理論用以簡馭繁之文字，予以簡介，並與《易》理之道作理論結合之初步探討。筆者好友或知《易》理或不知《易》理，予余誠心數語，概言學術便是如此。吾何嘗不知學術之如此，以致於不顧投審往返之心力耗費而將文章再三投稿。多些審查，終於知道此比較理論對筆者所屬學術領域知識之擴展，或為無益，或有不值。正可謂：「一文歷三刊，不可或見刊，能審不能審，可審視這般」。

文之不刊已然，惟著書立言可一暢己思，上述文章收編於本書之第十四章。

本書第十五章為本課程執行五年以來（2008-2012）之記錄文章，名為「以易經理論為基礎之人類發展學課程設

計與實施 — 兼論品德教育」，既是文章，便可投稿。此文章投稿至一教育類期刊，該期刊徵求的是課程與教學或教育發展議題方面之稿件，既然已有上述自身學門投稿文章往返之經驗，心想此次這篇可呼應課程設計與教育發展議題之文章，理應適合這類期刊。第五年人發課程於 2012 年 6 月結束，這篇文章便在是年 6 月底寄出受審，這一等待歷經「暑相連、秋處露秋」三個月，在 928 教師節前之某日，終於收到審查結果通知，評定為「本文作者撰述認真，內容豐富，惟與本刊性質不符，建議改投其他性質相近之刊物。本文業經審查後為：不予刊登，特此通知。」或許是榮格的共時性（synchronicity）原理運作了，對此結果我並不感到意外，回過頭來反求諸己，想想這不成熟的文章，或許只適合放在這本不成熟的書本札記中。另記下此稿件審查意見中較令我不知如何回應之一事，審者提到，「本文研究方法有分類上的錯誤，如『參加者』不是研究方法，請參考一般研究方法的書籍，將內容重新敘寫與呈現」。我將 subjects 或 participants 放在研究方法中放了近廿年，一時間我恐怕改不過來，一旦改變，或許就無法和科學家討論科學了。

《易經》不是我的學術本科，但如今卻成為我做人做事做學問的核心內容；我原是個《易經》外行人，現在卻來寫這本從《易經》角度談人類發展學之類學術專書。誠如本書共同作者陳威瑨談到，他感受到我進行跨領域學術研究時必然要背負的辛勞，他認為如果《易》是「體」，那麼這本書的內容便是「用」，似可呼應程頤《易程傳．序》所說的「體用一源」。我想威瑨是譽之太過了，但也因此而稍能體會到古往今來著書立論者之誠惶誠恐。

此處再延續威瑨所提之「跨領域學術研究」，我認爲學術有其專、有其廣，專者細膩至一字一句和顯微鏡世界，廣者則博通至數朝數代和宇宙生態。現今全球大學教育中，極力倡導應加重通識教育之比重；臺灣之大學教育更在分系分科之外，由教育部引導大學應多加增設「跨領域學程」以供學生多元知識之學習。事實上這些「跨領域」、「跨學科」之概念係由來以久，諸多學術學科早已進行多種學術整合，以致出現如比較教育、比較宗教、比較政府組織、運動生理心理學、國際組織及國際現勢、企業併購法與證券交易法等專業科目之整合趨勢。不同學科是可以有共通點的，不同學術領域之學科會合處〈這很像大腦地圖中的聯結區，聯結區才具有可塑性〉更容易出現高等理論之殊途同歸，若非如此，霍金（Stephen Hawking）何以苦苦尋覓能解釋全宇宙之萬有理論（theory of everything）？莊子所謂「天地一指，萬物一馬」，我認爲這應該已爲霍金找到答案。

《四庫全書總目・經部一・易類一》提到：「易道廣大無所不包，旁及天文、地理、樂律、兵法、韻學、算術，以逮方外之爐火，皆可援易以爲說，而好異者又援以入易，故易說愈繁。」我是好異者且爲《易》道所師保，將人類發展學、運動科學、及動作行爲學等學科與《易》理作連結，想來也是時勢之所趨。

本書之所以能夠付梓，誠感謝文史哲出版社彭發行人應允出版和彭小姐之細心編排等事宜。書名爲「從易經談人類發展學」，概因《易經》係總結古代人類智慧之經典，經與傳皆言及人類生活及人類活動變異之原理原則，故本書以易理爲論述人類發展學之主軸，輔以略談易學對人類動作變異之統攝解釋概念及其可應用性。清代張潮（1650~？）所著《幽夢影》言：「著得一部新書，便是千秋大業；注得一部古書，允爲萬世宏功」。而中世紀哲學大師阿奎那（St. Thomas Aquinas, 1225- 1274）在哲學與神學領域著作等身，在臨終之時，仍不免感慨其自身著作從信仰的角度而言，實在毫無價值〈傅佩榮，2011〉。著書有言，著書亦是無言。余著書意不在留名百代，僅在記錄蜉蝣歲月之讀書心得，若能引發一、二位讀者共鳴，甚至是參酌之以教授或自學人類發展學，吾願足矣。

賴世烱　於板橋
2012 年 11 月 19 日

參考文獻

林德嘉〈2002〉。運動員的人格特質和企業家的創業精神。2002 年學生運動員生涯規劃輔導人員研討會。臺灣運動心理學會。11 月 2、3 日，嘉義中正大學，臺灣。

長尾剛〈2011〉。圖解榮格心理學 (蕭雲菁譯)。臺北市：易博士，城邦文化。

南懷瑾講述〈2007〉。易經雜說。臺北市：老古文化。

馮保善注釋〈2006〉。新譯幽夢影〈《幽夢影》，張潮原著〉。臺北市：三民。

傅佩榮〈2011〉。一本就通西方哲學史。台北市：聯經。

序　二

2011年暑假，筆者經由業師賴貴三教授引介，得以參與國立臺北護理健康大學運動保健系副教授賴世烱老師的計劃，協助本書撰寫之工作。世烱老師雖屬於人體運動學門研究者，卻能基於對中國文史哲領域之興趣，特地前往他校參與研究所課程，其跨領域求知精神令筆者深爲欽佩。與世烱老師會面詳談，了解其架構規劃後，筆者即就每項主題各寫了幾千字。處於中文領域的筆者，實乃人類發展學的門外漢，只能憑一己之思，從自身所學出發來動筆。經過與世烱老師往復討論的過程後，本書第三章至第十三章之雛形大致底定。

本書旨在取徑《易》學，而嘗試爲人類發展歷程提供理論基礎。因此《易》學在此當然具有一定的主體性。但筆者在撰寫之初，即有意避免隨之而來的神祕性色彩，以及過多較爲艱澀的《易》學專門知識。執筆過程中，亦並非以對算命、占卜等技術有所期待者，或是傳統中文系學人爲預設讀者，而是希望不論帶有何種背景，皆能輕易了解書中內容。也正因爲筆者有意將本書定位爲普及性、通識性讀物，故盡量不仰賴專門術語，不製造生搬硬套至另一框架內的印象，用字也力求清晰易明。儘管由於筆者所受訓練之故，而在論述上以中國文史哲知識體系爲主，然仍企圖不讓此成為閱讀本書時的門檻。

其後，筆者有幸獲得國科會「千里馬計劃」補助，得以負笈日本，前往京都大學進行為期一年的短期研究，撰寫博士論文。有關本書的一切工作便不得不擱下。此時得蒙國立臺灣大學中國文學系林保全學長襄助，接手此事。保全學長在就讀師大碩士班時，即已有優異表現。擔任此工作，可謂適才適所，令筆者十分放心。筆者所寫之部分，僅為基本骨幹。其後實有賴保全學長添加豐富資料，擴而充之，以成其堂奧，尤其是進行了繁瑣的原典翻譯工作，維持本書清晰易明之旨，更是筆者感謝之處。

綜觀整套《易》學史，試圖將《周易》結合至其他主題者不知凡幾。而由於其本為占卜工具，故在種種民俗活動上的作用也從未斷絕，在韓國、日本等接受《易》學文化的國家亦是如此。至於筆者則專心將之視為一套先秦時代，人類所形成的世界觀、道德觀的總括性體現〈事實上這也成為了臺灣文化內涵的一部分〉。這一點決定了本書的論述方向，且筆者相信《周易》的這個面向是最適合與人類發展學門相對話的。關於此對話工作在教學上的運用，世烱老師已有專文探討（本書第十五章）。而對筆者來說，這則是一種實驗性的嘗試。期盼讀者在閱讀此書的過程，能對《易》學或是經典閱讀這回事本身有些許的收穫，那麼便可說是實驗的成功，也是筆者的榮幸。筆者從貴三老師習《易》僅數年，縱小成亦不敢言，且年方而立，能以在學學生身分而參與此出書工作，內心戒懼大於喜悅。本書之疏漏缺陷，係決定內容骨幹之筆者的責任。相對的，若有任何成功之處，則應歸功於統籌規劃的世烱老師，以及完成後續工作的保全學長。同時，在此亦向翻閱本書的各位讀者致上謝意。

陳威瑨　於日本
2012 年 12 月 15 日

序　三

2011年秋冬之際，從以前師大國文所碩班的學弟博玄得知訊息，知道有件關於《易經》的國科會計畫需要助理，當時憑著自己對《易經》的熱忱，便二話不說的接下了這個工作。這個計畫的主持人是國立臺北護理健康大學運動保健系賴世烱教授的計畫，而原先的助理是國立臺灣師範大學國文研究所的博士生陳威瑨。威瑨學弟相當優秀，在碩班就讀時就跟著《易》學大師賴貴三教授從習《易經》，不僅浸習已久而且頗有心得。隨後，威瑨學弟考入國立臺灣師範大學國文研究所的博士班，不僅能深造自得，同時也申請到了國科會的千里馬計畫，於是負笈日本京都大學進行短期研究一年。而我就有了這樣的機緣，能夠接下威瑨學弟原先的研究助理工作。

起初，我本來以爲這件國科會計畫的主持人是中文系的老師，因爲當中文系的助理當久了，自然而然就認爲這計畫的主持人是中文系老師，更何況主題是跟《易經》有關。然而，藉由威瑨學弟的引見之後，我才知道主持人是運動科學領域的老師，驚訝之餘，也非常感到敬佩。雖說《易》道廣大，無所不包，但由運動科學領域的老師來主持，卻是我第一次聽聞，不僅讓我耳目一新，同時也令我非常的期待。後來，跟賴老師深談之後，更加可以感受到賴老師對於《易》學的熱忱，而後來我也發現，原來我跟賴老師都同樣在臺大哲學所傅佩榮教授所開設的《易經》課程，一起旁聽許久了，只是互不認識。對於這樣緣分，也加深我更要協助老師完成這件跨領域的國科會計畫。同時，對於老師能在繁忙的教學與研究之餘，還願意撥冗進修，這讓我非常的敬佩不已。

這本書的主要架構與內容，是在世炯老師與威瑨學弟的構畫下完成，當我接手的時候，頂多就是進行一些細部的填補，或者是針對古文的部分進行白話翻譯，實際上的貢獻相當少，大部分仍是在世炯老師與威瑨學弟的框架下完成。同時也非常感謝世炯老師與威瑨學弟細微的籌畫，讓我在接手的時候，可以快速的接軌。也希望這本書能夠給予讀者一些不同的啓發。最後，就以《中孚》卦的九二爻辭「我有好爵，吾與爾靡之」的心意，誠摯的邀請讀者一起享用這本書的內容吧！

林保全　於永和
2012 年 10 月 31 日

第一章　略述西方人類發展學及如何使用本書

賴 世 烱

一、略述西方人類發展學：本書與一般人類發展學教科書之編寫比較

坊間有許多名爲《人類發展學》〈簡稱人發〉教科書，其數應不少於三十種版本，其中有三分之二以上爲國內學者就英文版“Lifespan Human Development”相關書目書籍，採單人翻譯或多人合譯方式而形成中譯本教科書。稍能變化教科書內容者，則爲華人合著版本之人類發展學教科書，如此雖非譯本教科書，但中文版之書籍亦皆僅能依循英文版人發教科書之章節架構，以西方不同發展理論學派及其研究方法，論述人類從受孕至老死之生理、認知、社會及人格之發展過程。

筆者認同西方學術論述人類發展之歷程結構，人發教科書如此撰寫亦爲中規中矩。而此書從《易經》談人類發展與動作變異，並非要創造新的立論，而是要肯定東方世界於數千年前已然形成之經典典籍——《易經》，其六十

四卦所構成人類世界與宇宙規模之生生之理，依此經、傳、象數及義理之取類之大，來談論人類於地球上之整體發展過程，以闡述學術異同與和合之道。

雖然本書之主要架構爲《易》理之說，但此處特撰一章簡略說明一般《人類發展學》教科書所包含之內容，以提供讀者本書與其他人發書籍之比較觀點。從縱與橫之二維觀點來看西方人類發展學之立論基礎，縱的來說便是時間，包括胎兒期、嬰兒期及幼兒期、學齡前期、兒童期、青少年期、成人早期、中期及晚期、及死亡。橫向架構則是人類之生理發展、認知/心理發展、社會/人格發展、相關理論學派及其代表人物、研究方法等立論觀點。進一步探究之，這些相關理論學派大多必然論及佛洛依德（Sigmund Freud, 1856-1939）、維果斯基（Lev Semenovich Vygotsky, 1896-1934）、皮亞傑（Jean Piaget, 1896-1980）、艾瑞克森（Eric Erikson, 1902-1994）、科爾柏格（Lawrence Kohlberg, 1927-1987）等著名發展理論學家。各學派代表人物及其基礎理論整理如表一。【筆者按：維果斯基提出社會文化理論（social-cultural theory），強調人與所處環境及文化之互動，或許是因爲其在世時間較爲短暫，故未能發展出如其他學者之明確理論分期；亦或許他的主張並不需要分期來加以討論】

表一　西方人類發展學於縱與橫二維觀點之
學派代表人物及其理論一覽表

橫向觀點：代表學者及其代表學派 縱向觀點：時間分期	佛洛依德 Sigmund Freud 1856-1939 心理分析論	皮亞傑 Jean Piaget 1896-1980 認知發展論	艾瑞克森 Eric Erikson 1902-1994 心理社會發展論	科爾柏格 Lawrence Kohlberg 1927-1987 道德發展論
胎兒期 受孕至出生				
嬰兒期 出生至 12~18 個月 & 幼兒期 12~18 個月至 3 歲	口腔期 oral & 肛門期 anal	感覺運動期 sensorimotor period	信任感/不信任感 trust / mistrust & 自主性/羞愧及懷疑 autonomy / shame and doubt	道德成規前期 preconventional morality 階段一：順從與懲罰導向 obedience & punishment orientation
學齡前期 3 至 6 歲	性蕾期 phallic	前運思期 preoperational period	進取性/罪惡感 initiative / guilt	階段二：個人主義與交換 individualism & exchange
學齡期/兒童期 6 至 12 歲	潛伏期 latency	具體運思期 concrete operational stage	勤奮/自卑 industry / inferiority	道德成規期 conventional morality 階段三：良好人際關係 good interpersonal relationships
青少年期 12 至 20 歲	生殖器期 genital	形式運思期 formal operational stage	認同感/角色混淆 identity / role diffusion	階段四：維持社會秩序 maintaining the social order
成年早期 20 至 40 歲			親密感/孤立感 intimacy / isolation	道德自律期/道德成規後期 postconventional morality 階段五：社會契約與個人權利 social contract & individual rights
成年中期 40 至 60 歲			生產/停滯 generativity / stagnation	階段六：普遍性原理 universal principle
成年晚期 60 歲至死亡			自我統合/絕望 ego-integrity / despair	

註 1：虛線表示分期之可跨性及可重疊性，非絕對對應於時間分期

註 2：科爾柏格（1963, 1969）原始之分期與階段名稱與此處所列名稱略有不同，此處採用 Crain（1985）修正用詞。

除了從上述縱橫分類法可一窺西方人類發展學之立論基礎外，另外便是源自歐美傳統心理學之五大理論取向（張春興，2005），包括精神分析取向、行爲論取向、認知論取向、人本論取向、心理生物取向等。依此五種理論取向，人類發展學者將其歸納成五個人類發展之重要觀點（Feldman, 2010），分別爲心理動力學（psychodynamic）、行爲學（behavioral）、認知學（cognitive）、人本學（humanistic）、與進化論（evolutionary）觀點。隨後便在各個觀點中配以相關理論學者及其理論論述，此即西方人類發展學之大略架構。進一步來說，對於各理論學派之驗證與再求新知，方法學上輔以實驗觀察法或個案研究法等量化及質性方式以探討之，研究策略與測量方法則與一般自然科學或社會科學相去不多，即爲縱貫研究、橫斷研究、及折衷之序列研究。

本書較少論及的主題，爲上述西方人類發展學橫向架構中之人類生理發展，筆者學術訓練包含教育學與運動科學，瞭解生理學相關知識可隸屬於運動科學之知識體系。我認爲生理學是一門專業屬性極高之專業課程，人發課程中主要要探討的是人類社會整體之發展過程，因此本書對於人類生理發展之主題並未特立章節來論述，讀者如有生理學方面的需知，還請參閱坊間生理學、生理心理學、解剖學、或一般人類發展學教科書，以補闕本書不足之處。

然而本書已意在跳脫歐美學界對人類發展學之論述邏輯，在此便不依其章節架構論其細節，而立論基礎雖異，在某些全體人類都會遇到的問題方面，如人格與道德發展、教育重要性、及社會階層等議題，則會從《易經》六十四卦及相關易學理論的角度來闡述。《易經》是古書，「人類發展學」和「動作變異理論」是現代學科，做這樣的連結僅是初步嘗試，《蒙》卦啓蒙與《賁》卦文飾之意可略盡此道，《未濟》卦則倡導此類學術合議和比較理論之精神應永無休止。

二、如何使用本書

本書旨在提供教授大專校院、甚至是高中職「人類發展學」課程之另一選擇，西方之人發內容已於上節略爲介紹，此節則爲有意以本書來教授人類發展學之教師提示教學之法，或使一般讀者能夠自修此學科。本書名爲《從易經談人類發展學》，主軸既是《易經》，那麼在教授本課程之初，便需要將基礎易理之知識傳達給學生，因此本書第二章便從太極與六十四卦談起，授課者自身應該具備基礎易理知識，且至少在解釋先後天八卦生成之理及六十四卦演變方面能稍有心得。爾後在教授第三章至第十三章之易理相關之人類發展主題時，便可參考本書所設定之十數個卦象及卦義，選擇適合您自己課堂上學生程度之人發主題來加以發揮或修改主題。而對於欲以自修方式以瞭解人類發展學內容之學生（或教師），即可在閱讀過第一章與第二章之基礎立論後，隨意擇取有興趣之章節細細品嚐，能識則識，不能識者亦無需急於一時，待瞭解更多《易》學知識後再反覆閱讀，總是能再多認識一點的。

《易經》有六十四卦，本書卻僅就十數個卦來闡述人發主題，誠如歷史學「形成、發展、興盛、衰敗」之歷史定律〈何柄棣，2004〉【何師已於 2012 年 6 月 7 日病逝於美國加州，享壽 95 歲】，本書及本課程應正處於發展階段，筆者竊自揣摩此不得不然之規律，認爲大學中每一門課最好都能夠永遠處於發展階段。一門課之課綱可以發展地越來越有系統，但授課者「心態上」則不應認爲課綱已經完整到無可復加，因爲課綱一旦非常完備，便是「亢龍有悔」，代表這門課沒有進步空間。而課程內容若是達到變無可變之時日，該課程勢必要以歸於寂靜、甚至是以消失作收，這聽來似乎開始談玄了，但這是真的，人事物之變只能這樣演變。

第三章到第十三章之主題是參考用的，授課者需維持適當彈性來加以調整授課內容。尤其這些章節裡之文字敘寫，已經直接進入《周易》經傳文字及各卦卦理之介紹，這方面便比較適合對《易》理象數稍有研究者來細細體會，而較不適合初習《易經》之學生閱讀。雖然如此，這或許也是習《易》入門方法之一，凡事多易便多難，多難便多易，心中若畏懼尖物，滿屋多掛些錐子也就不那麼怕了。

回到實際授課之法來說，執行本課程之首創者是賴世炯老師，在這第二章至第十三章之課程中，上課內容不完全是《易經》之卦或《易經》之象，而是當週卦象所對應之主題，如第五章之主要卦象爲《蒙》卦與《需》卦，其對應主題便是教育論，原因在於「蒙」爲穉〈幼小、初生之意〉，「需」爲飲食或等待，由這兩個卦所衍伸之主題可定名爲教育論，授課時主要便是倡導教育對一個人或一個學生之重要性，其教材則可以是教授教育理論或教育實務工作之文章或教師自身上課演示。其他各章主題皆爲某個或某幾個易理卦象所衍伸之主題，這部分亦需視授課者對《易經》之體會深淺，並視學生材力和學力來決定上課內容和難度深淺，此無定法。

第十四章「動作變異理論與易學關係初探」和第十五章「以《易經》理論為基礎之人類發展學課程設計與實施」，二章皆為賴世烱老師之論文，二篇論文性質皆定位為專業學術論文，此處仍不諱言，這二篇文章皆經過實際投稿審查過程，依時間先後順序來說，前者被拒絕刊登三次，後者被拒絕刊登一次【其緣由已於賴世烱自序中論及，此不贅述】，因皆為退稿，故現今將此二文置於書中，遂無一稿多用之慮，本書即為此二篇文章第一次刊登處。奚哉，來日終有引文之處。

第十四章論及動作變異性，除了與《易經》有關，另一相關學科領域即是運動科學中之動作行為學〈或言運動行為學〉，其中主要提及行為學中的四個重要理論：動作程式理論、動力系統理論、自由度理論、生態理論。此文係理論比較及論證文章，雖然缺少所謂的科學檢驗〈含實驗設計、參加者、統計分析等〉，但也正是透過理論整合與比較，才能決定科學要往哪裡去。

第十五章總結本課程自 2008 至 2012 五年之執行成果，此處列出賴世烱老師 2011 年度〈2011.8.1 至 2012.7.31〉國科會研究成果報告之結論三點：第一，透過生涯發展問卷之施測，可初步判斷本課程對學生規劃生涯發展有所助益。第二，由學生在「人類發展學」課程之 W 型成績分佈狀況來看，突顯出學生可分為三類：積極進取型、一般程度型、與消極心態型。建議教師宜多費心思設計多元教材以利因材施教。第三，依課程主題重要性評估來推論大學生最關心之人生議題，至少應包括：（1）反應學生認知到改變現狀的方法之一是多接受教育、（2）反應學生意識到盛極而衰道理之歷史學，及（3）反應學生瞭解有始便有終之死亡教育。

本書最末附錄《周易》全文，其版本係據清代阮元（1764-1849）重刊宋本《十三經注疏附校勘記》，出版社爲臺北市之藝文印書館，出版年爲 1955 年。讀者在各章中如看到感興趣之卦象卦理，可在此附錄中尋得較爲完整之各卦卦爻辭及相關傳文，但前提是讀者應先能背頌上下經卦名次序歌，方能迅速找到每一卦位於何處。在此附錄中，先談及《周易》全文之版本說明，讀者若能在閱畢此書後而對《周易》有進一步的認識，便能逐漸體會到本書三位作者之用心良苦。

參考文獻：

何柄棣〈2004〉。讀史閱世六十年。臺北市：允晨文化。

張春興〈2005〉。心理學概要。臺北市：臺灣東華書局。

Crain, W. C.（1985）. Theory of development. NJ: Prentice Hall.

Feldman, R. S.（2010）. Development across the life span（6th Edition）. NJ: Prentice Hall.

第二章　太極至六十四卦〈排卦基礎〉

賴世烱

《易經》是東方古籍，在伏羲、周文王、孔子這一體系所完成之「《易》之經與傳（十翼）」，其內容探賾索隱，鉤深致遠，由於《易》與天地準，能彌綸（完善說明）天地之道，故透過《易》理可回答從宇宙創始至人類文明產生後的各種問題。而在老、莊、孔、孟之後，藉《易》理來推天道以明人事更成爲影響東方文明之內化思想，與承襲西方三哲蘇格拉底、柏拉圖、亞里斯多德之希臘思想而建構之歐陸哲學相較，這異源共發之人類思想，至深且鉅，似分爲二，其實爲一。東西方之思想皆源自自然，如今亦往自然而去。

這二元與一元，是《易經》中的究竟命題之一。本章旨在介紹從無極而太極，太極生兩儀之原始涵意，並說明太極至六十四卦之排卦方法。古往今來已有許多治易有心得者提出數種六十四卦卦序排列方式，如北宋邵雍（1011-1077）傳承之「伏羲先天六十四卦方圓圖」〈見圖一〉，若將《乾》卦置於圖之正上方，其外圓圖之正上方與內方圖之右下方便可皆定位爲《乾》卦，依此一《乾》卦，由上爻往下依序進行陽變陰或陰變陽之變化，在圓圖上從《乾》卦出發〈圓圖之正上方〉，依逆時鐘方向所得到之第二個卦便爲澤天《夬》卦，表現在方圖上則是從《乾》卦〈方圖之右下方〉往左方移一位，亦是《夬》卦。依此法演變便成爲六十四卦。然而本章此處主要演示南宋朱熹（1130-1200）於《周易本義》中提及之「分宮卦象次序」，輔以簡介「八卦取象歌」及「上下經卦名次序歌」。

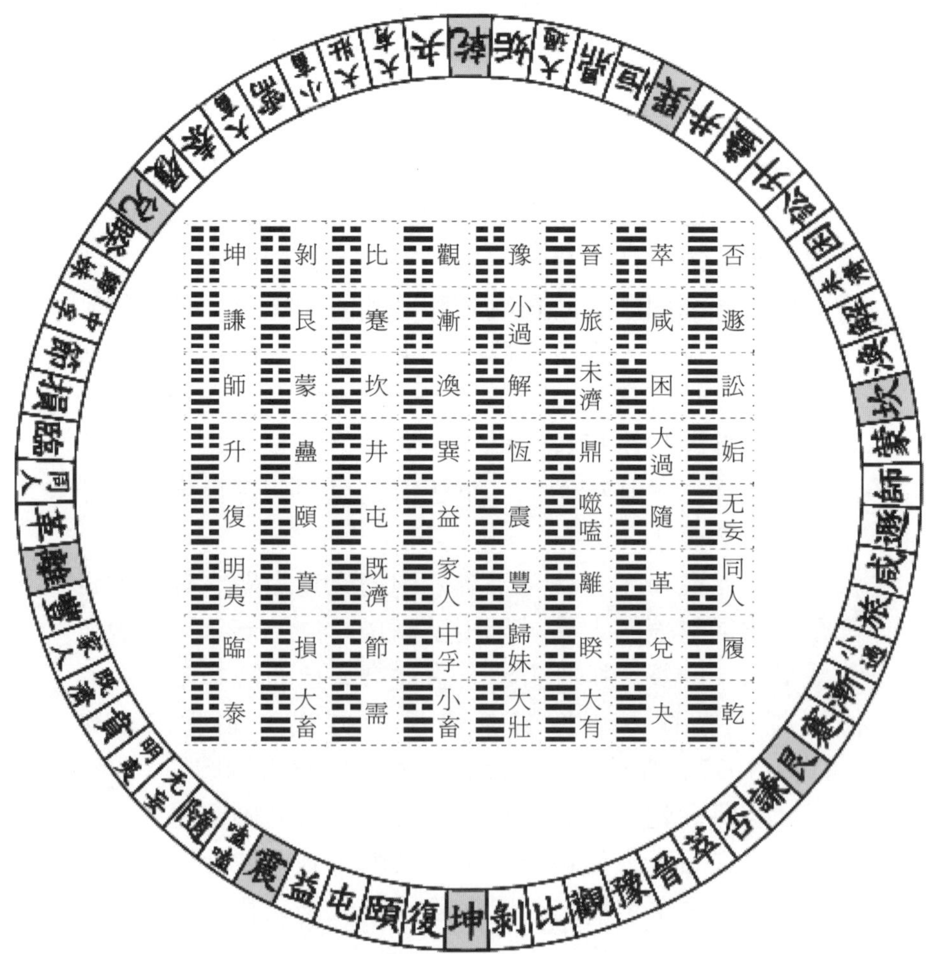

圖一：伏義六十四卦方圓圖

《周易·繫辭傳》曰：「易有太極，是生兩儀，兩儀生四象，四象生八卦，八卦定吉凶，吉凶生大業」。太極是個集合體之概念，在太極之前是爲無極，依老子思想，天下萬物生於有，有生於無，換言之，天下之物可以無中生有。「無中生有」並非談玄，此觀點亦合乎宇宙創始時之自然法則，依現代物理學和宇宙學知識之發展，科學家已可接受宇宙創生自 150 億年前之大爆炸理論（big bang），也能接受量子理論中次原子（如質子）之隨機出現與正負銷抵等概念，如此便能呼應「無中生有」之說。

解決無中生有之疑惑後，無極至太極便不致難以理解，於是我們能夠走入萊布尼茲（Gottfried W. Leibniz, 1646-1716）的二進位制世界，即太極至兩儀之道。太極圖像有種雙魚圖之意像，基本畫法即如圖二下方圖形所示，一般稱白爲陽，稱黑爲陰。自太極圖往上生成兩儀【依老子名可名之意，此處僅予以名稱，不作深入解釋，但一般可將兩儀視爲事物之二個相對概念】，並分別賦予其特定之陰陽符號以辨視之，即陰爲⚋，陽爲⚊。自兩儀往上生成四象，其演變方法爲以左方的陰的符號⚋爲底，向上分化成二個陰的符號，之後再在此二陰符號上、自左而右加上一陰一陽之符號，成爲太陰⚏和少陽⚎；同樣地，以右方的陽的符號⚊爲底，向上分化成二個陽的符號，再在此二陽符號上、自左而右加上一陰一陽之符號，成爲少陰⚍和太陽⚌。

依照上述方式，四象之太陰⚏、少陽⚎、少陰⚍、太陽⚌皆成爲底，各別向上分化爲二，由左而右便成爲⚏、⚏、⚎、⚎、⚍、⚍、⚌、⚌等八個圖象，接著在此八個圖象上方、由左而右加上一陰一陽之符號，如此即成爲八卦圖像，依序爲《坤》☷、《艮》☶、《坎》☵、《巽》☴、《震》☳、《離》☲、《兌》☱、《乾》☰；若從右方念至左方，便成爲一般先天八卦之背誦順序：《乾》、《兌》、《離》、《震》、《巽》、《坎》、《艮》、《坤》。演示至此，即完成四象生八卦之步驟，爾後之大業與吉凶，則隨重卦後多元組合，應蘊而生。朱熹「八卦取象歌」依上述八卦外形，發展出三字口訣以幫助吾人記誦八個卦象，搭配各卦所對應之自然象徵，即是《乾》三連☰（天），《坤》六斷☷（地），《震》仰盂☳（雷），《艮》覆碗☶（山），《離》中虛☲（火），《坎》中滿☵（水），《兌》上缺☱（澤），《巽》下斷☴（風）。

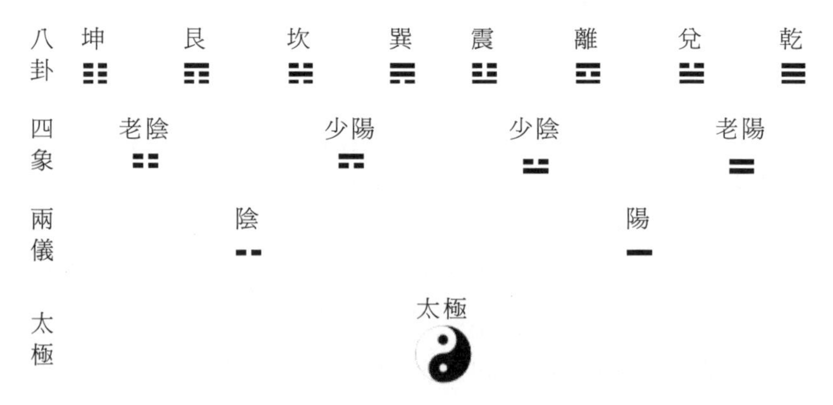

圖二　太極至八卦之生成演變圖

朱熹「上下經卦名次序歌」係依照〈序卦傳〉之排列次序發展而來，以提供後代學子記憶六十四卦之卦名。此處僅完整列出此次序歌，不作深入解釋。

上下經卦名次序歌爲：乾坤屯蒙需訟師，比小畜兮履泰否。同人大有謙豫隨，蠱臨觀兮噬嗑賁。剝復无妄大畜頤，大過坎離三十備。咸恆遯兮及大壯，晉與明夷家人睽。蹇解損益夬姤萃，升困井革鼎震繼。艮漸歸妹豐旅巽，兌渙節兮中孚至。小過既濟兼未濟，是爲下經三十四。

在介紹「分宮卦象次序」之前，需先瞭解先天八卦（伏羲八卦，宇宙觀）及後天八卦（文王八卦，地球觀）之排列位置，同樣地，此處僅明確列出此二系統之位置，不作深入解釋。先天八卦與後天八卦之排列位置如下圖所示。

先天八卦

兌 2	乾 1	巽 5
離 3		坎 6
震 4	坤 8	艮 7

北方

後天八卦

巽 4	離 8	坤 2
震 3		兌 6
艮 7	坎 1	乾 5

北方

回到「分宮卦象次序」之討論，如在上圖後天八卦中，從左上方《震》、《巽》之間往右下方《兌》、《乾》之間畫出一線（如圖中虛線所示），這樣便能將後天八卦分成左下方之陽四宮（《乾》、《坎》、《艮》、《震》）和右上方之陰四宮（《巽》、《離》、《坤》、《兌》），而從右下角之《乾》卦開始以順時針方向依次數來，即得《乾》、《坎》、《艮》、《震》、《巽》、《離》、《坤》、《兌》之「分宮卦象次序」（如表一所示）。

表一　分宮卦象次序

兌爲澤	坤爲地	離爲火	巽爲風	震爲雷	艮爲山	坎爲水	乾爲天
澤水困	地雷復	火山旅	風天小畜	雷地豫	山火賁	水澤節	天風姤
澤地萃	地澤臨	火風鼎	風火家人	雷水解	山天大畜	水雷屯	天山遯
澤山咸	地天泰	火水未濟	風雷益	雷風恆	山澤損	水火既濟	天地否
水山蹇	雷天大壯	山水蒙	天雷无妄	地風升	火澤睽	澤火革	風地觀
地山謙	澤天夬	風水渙	火雷噬嗑	水風井	天澤履	雷火豐	山地剝
雷山小過	水天需	天水訟	山雷頤	澤風大過	風澤中孚	地火明夷	火地晉
雷澤歸妹	水地比	天火同人	山風蠱	澤雷隨	風山漸	地水師	火天大有

六十四卦中的每一卦皆由八個單卦〈八純卦〉【即《乾》☰、《兌》☱、《離》☲、《震》☳、《巽》☴、《坎》☵、《艮》☶、《坤》☷】以上下各一單卦方式組合而成，上卦又稱外卦，下卦又稱內卦，如「分宮卦象次序」右上角之《乾》卦，爲上乾下乾合成乾爲天之卦，往下一格則爲上天下風之天風《姤》卦，再往下則是上天下山之天山《遯》卦，然而爲何《乾》卦會變成《姤》卦，《姤》卦又變成《遯》卦呢？接下來便簡單陳述「分宮卦象次序」六十四卦之卦象演變規則。

人站在大地上，大地是天地萬物的能量來源，大地有所變化，人類生活必然隨之變化，因此在卦的演變上，第一個基本規則便是由下往上變化。而變化是從什麼變成什麼呢？以陰陽之道來看，便形成第二個基本規則，即陽變陰，陰變陽。

乾宮八卦爲表一右方第一列之內容，由上至下分別爲《乾》、《姤》、《遯》、《否》、《觀》、《剝》、《晉》、《大有》等八個卦象，如能將以下說明文字對照表一同時瀏覽，可增進對此演變法則之理解。

（1）《乾》爲天卦。《乾》卦爲八卦純卦之一，係由下乾上乾所組成，一般亦稱爲《乾》爲天卦；由於「乾」字代表「天」之自然象徵，故在其他卦象中，《乾》☰皆以「天」稱之。

（2）天風《姤》卦【乾爲天之《乾》卦之初爻變】。《姤》卦由下巽上乾所組成，上卦仍爲《乾》爲天卦，下卦則需將原《乾》爲天卦初爻之陽⚊變化爲陰⚋，形成巽爲風之《巽》卦☴，故上下卦合爲天風《姤》卦。

（3）天山《遯》卦【天風《姤》卦之二爻變】。《遯》卦由下艮上乾所組成，上卦仍是乾為天之《乾》卦，下卦則由方才《姤》卦之下卦《巽》為基準，且需上升至《巽》之二爻才產生變化，即將《巽》☴之第二爻之陽變為陰，但維持其第一爻初爻不變，成為艮為山之《艮》卦☶，故此上下卦合為天山《遯》卦。

（4）天地《否》卦【天山《遯》卦之三爻變】。《否》卦由下坤上乾所組成，上卦仍是乾為天之《乾》卦，下卦則以《遯》卦之下卦艮為山為基準，且需上升至《艮》之三爻才產生變化，即將《艮》☶之第三爻之陽變為陰，但維持其初爻和二爻不變，成為坤為地之《坤》卦☷，故此上下卦合為天地《否》卦。

（5）風地《觀》卦【天地《否》卦之四爻變】。《觀》卦由下坤上巽所組成，乾宮八卦演變至此之變化需上升至六個爻位之第四爻來產生變化，即以天地《否》卦為基準，將其下卦坤為地之《坤》卦☷三爻皆維持不變，變的是《否》卦上卦乾為天之《乾》卦☰之下方第一爻（即上下合卦由下往上數之第四爻），即《乾》☰變《巽》☴，至此上下卦合為下坤上巽，名之為風地《觀》卦。

（6）山地《剝》卦【風地《觀》卦之五爻變】。《剝》卦由下坤上艮所組成，此處以風地《觀》卦為基準，變化處為《觀》卦上下合卦由下往上數之第五爻產生變化，即原《觀》卦上卦風卦之中間爻位有所變化，《巽》☴變《艮》☶之《艮》為山卦，而《觀》卦下卦《坤》為地不變，至此上下卦合為下坤上艮，名之為山地《剝》卦。

（7）火地《晉》卦【山地《剝》卦之四爻變】。《晉》

卦由下坤上離所組成，此處以山地《剝》卦爲基準，由於前一變已變至五爻之位，再往上就是上爻第六爻，這裡便要加入第三個變化規則，即五爻變完不可往上面的六爻變，而是要由五爻往下面一爻之四爻來變，故山地《剝》卦之上爻《艮》☶變《離》☲之《離》爲火卦，且《剝》卦下爻《坤》爲地不變，至此上下卦成爲下坤上離，名之爲火地《晉》卦。

（8）火天《大有》卦【火地《晉》之下卦全變】。《大有》卦由下乾上離所組成，此處以火地《晉》卦爲基準，前一變已由五爻之變往下成爲四爻之變，再來則要加入第四個變化規則，且此規則只適用於每一個八純卦宮位之最後一卦，即下卦三爻全變。故火地《晉》之上卦《離》爲火☲不變，下卦《坤》爲地卦之《坤》☷要全變，變爲《乾》☰【如對照第二宮坎宮之演變至此，地火《明夷》之下卦《離》爲火☲會全變，成爲地水《師》之下卦《坎》爲水☵】，至此上下卦成爲下乾上離，名之爲火天《大有》卦。

以上便是乾宮八卦由上至下之演變過程，其他七宮之卦象變化，便可按照同一邏輯演變，依序變化即能由八純卦演變至六十四卦。此六十四卦演變之法如同嚴密的數學公式一般，將柏拉圖之理型（Form / Idea）世界化爲人間可見之物，若能欣賞聖人制器尙象之道，便能發自內心而崇尙自然。

本章談及太極至六十四卦之排卦基礎，建議讀者應當熟記「八卦取象歌」及「上下經卦名次序歌」，前者是基礎八卦之圖象，後者則為「二二相耦，非覆即變」[1]之《易經》相對哲學；能夠完全記誦六十四卦後，接續研讀「分宮卦象次序」並理解各宮演變規則，則愈能掌握象數派之基本意涵；而日後多加揣摩推天道以明人事之道，如此義理派之精神便能內化於心。據此三道程序來理解《易》之經傳，便能日漸有功，入《易》學之堂奧。

---

1 〔魏〕王弼、韓康伯注，〔唐〕孔穎達疏：《周易正義》，頁 186。此為孔穎達所描述的六十四卦順序之規律，意為六十四卦依其順序，兩兩一組，不是「覆卦」就是「變卦」。覆卦乃兩卦之六爻上下彼此顛倒之卦象，例如《屯》、《蒙》兩卦即是；變卦乃兩卦卦象彼此陰陽爻互為相反，例如《乾》、《坤》兩卦即是。六十四卦中，《乾》、《坤》、《頤》、《大過》、《坎》、《離》、《中孚》、《小過》八者屬於變卦，其餘皆為覆卦。

第三章　生死與宇宙論〈乾、坤〉

緒　　論

宇宙論（cosmology）探討的是世界形成的問題。雖然現在聽起來似乎是天文學的領域，但在哲學問題發展的過程中，宇宙論可說是人類最早意識到的問題，同時也是哲學思想體系中的一大理論基礎所在，舉凡中國、希臘、印度等幾個古代哲學發祥地皆是如此。就時間歷程而言，人類自身之生，必定以世界本身之創生爲根據；自身之死，也必定歸因於世界運行之規律。然而，更重要的是：如果我們肯定「人類思考自身與世界的關係時，或者說思考人類（個人或全體）的精神發展歷程中，諸如『自身從何處來』、『世界如何產生』等命題時，是生死與宇宙論首將涉及的問題」此一課題時，那麼談人類發展學、歷史學、人生哲學、或宗教哲學時，必將從「宇宙論」此一哲學主題出發，而研讀中國古典書籍 — 《周易》也是如此。

《周易》包含經文（即《易經》）與傳文二大類，經文包含六十四卦的卦象、卦辭、爻辭，而一卦有六爻，故爻辭有六，則六十四卦共有三百八十四爻，亦即有三百八十四條爻辭。傳文是所謂的《易傳》，主要是用來解釋《易經》的經文，其中包含〈彖傳〉、〈象傳〉、〈文言傳〉、

〈繫辭傳〉、〈說卦傳〉、〈序卦傳〉、〈雜卦傳〉等七種不同的文獻，各自具有不同意蘊的哲學義理於其中。[1]大致而言，經文的出現，遠在《易傳》之前，而《易傳》大致上是戰國時代的士人，針對《易經》進行詮釋的哲學文獻，其中蘊含著各種不同的哲學課題，而生死觀與宇宙論的課題，亦包含於其中。

以下就先針對《周易》中所涉及的「生死觀」與「宇宙論」的課題，稍作敘述。

一、《周易》的生死觀：「推天道以明人事」

先秦儒家的生死觀，多著重在生的層面，而少論及死後的世界。如《論語・先進》所謂的：

> 季路問事鬼神。子曰：「未能事人，焉能事鬼？」曰：「敢問死。」曰：「未知生，焉知死？」[2]
>
> 譯：子路問服侍鬼神的事宜。孔子說：「未能服侍好人，哪能去想服侍鬼神的事情？」子路又問：「請問死後的事情如何？」孔子說：「生的事情未能完全瞭解，哪能去瞭解死後的事情？」

由此看來，儒家非常重視生的一面，因為只有在生的

---

1 《易傳》又稱《十翼》，是解釋《易經》經文的文獻，內容包含〈彖傳〉、〈象傳〉、〈文言傳〉、〈繫辭傳〉、〈說卦傳〉、〈序卦傳〉、〈雜卦傳〉七種，其中〈彖傳〉、〈象傳〉因《易經》分為上下經，故亦隨經文分為上下，而〈繫辭傳〉則因文字較多，亦分為上下，合其他四種，總共十篇，故稱十翼。

2 〔魏〕何晏等集解；〔宋〕邢昺等疏：《論語注疏》（臺北：藝文印書館，1997 年，據清阮元校刻十三經注疏本影印），頁 97。

時候，才能開展出正面積極的態度，探論死後未可知的事情，實際上並無積極的意義存在。然而，此種意義下的生，並不代表儒家蔑視死，相反的儒家認爲人以生爲起點，至死爲終點，因此面對死，亦需以嚴肅的態度去面對，故《論語・爲政》篇說：

> 子曰：「生，事之以禮；死，葬之以禮，祭之以禮。」[3]
>
> 譯：孔子說：「在世的時後以禮節服侍之；死時的埋葬必須符合禮，祭祀亦需符合禮。」

由此看來，儒家並不輕蔑死，反而對於死是以一種嚴肅的態度來面對，只是死後的世界未可知曉，故孔子採取存而不論的態度。

《周易》所揭示的道理亦是如此。《周易》所言雖然是天道奧妙的義理，然而此種奧妙的義理並非與吾人生命無關，反觀六十四卦取象，多以人文世界中的事物或制度命名，故所重亦非全在天道之事，亦有重於人事一面者。因此，《周易》此書，往往具有「推天道以明人事」的特色。

《易傳》闡明以天道明人事的義理，大致有以下幾種方式：第一，賦予卦德。《易經》有八純卦，若以先天八卦爲序，即爲《乾》、《兌》、《離》、《震》、《巽》、《坎》、《艮》、《坤》。此八卦又各自有其卦德，如《乾》卦德爲剛健，《兌》卦德爲說（悅），《離》卦德爲麗，《震》卦德爲動，《巽》卦德爲入，《坎》卦德爲陷，《艮》卦德爲止，《坤》卦德爲柔順。

以《乾》、《坤》而言，「健」與「順」的價值概念，

---

3 〔魏〕何晏等集解；〔宋〕邢昺等疏：《論語注疏》，頁 16。

是《周易》宇宙論所衍生出的另一個重要成分，姑且可以理解爲一種重要的德行。「健」指的是持續不停的動力，「順」則有包容之意。《易傳》在〈彖傳〉、〈大象傳〉、〈說卦傳〉等處都出現將「健」與「順」分別作爲《乾》、《坤》兩卦象徵的文字，其中最重要的《乾》、《坤》兩卦的〈象傳〉：

> 天行健，君子以自彊不息。[4]
>
> 譯：天體運行剛健不已，君子因而要求自己奮發上進不已。
>
> 地勢坤，君子以厚德載物。[5]
>
> 譯：大地形勢順應廣大，君子因而厚植自己的道德來承載萬物。

《乾》、《坤》兩卦的〈大象傳〉，以卦德推至人事，要君子效天之剛健不已，而推及於己身之自強不息；效地之地勢順應，推及於己身之厚德載物。此種〈大象傳〉的特色，就是所謂的「觀象法行」，亦即「推天道以明人事」的含意，其中人事部分，以「政治哲學」與「人生修養」爲主。[6]

以政治哲學而言，〈大象傳〉觀象取法之人，皆屬爲政者，其中「君子」凡五十三見，「先王」七見，「后」

---

4 〔宋〕朱熹：《周易本義》（臺北：大安出版社，1999 年），頁 31。另外，本文所引《周易》皆用此一版本，若有例外，將另行注出出版項。

5 〔宋〕朱熹：《周易本義》，頁 41。

6 參照黃沛榮：《周易彖象傳義理探微》（臺北：萬卷樓，2001 年），頁 110。

三見，「上」一見，「大人」一見，諸如此類用詞，皆是有關政治哲學，並提醒爲政者當藉由觀象法行，用以施政。例如《師》卦〈大象傳〉：

> **地中有水，師。君子以容民畜眾。**[7]
>
> **譯：地裡有水，《師》卦。君子以此領悟而施行容納萬民、畜養百姓。**

此即透過「地中有水」的象，要君子觀此象而法之，亦即取用「涵養」、「包容」、「畜養」的象，而推至施政時當表現在「容納萬民」、「畜養百姓」的「行」。又如《比》卦〈大象傳〉：

> **地上有水，比。先王以建萬國，親諸侯。**[8]
>
> **譯：地上有水，《比》卦。先王以此領悟而施行封建萬國，親近諸侯。**

此即透過地上有水「親比」的象，而推至施政時當表現在建立侯國，親比諸侯的「行」。

至於「人生修養」的部分，上述所引《乾》、《坤》二卦的〈大象傳〉，即是涉及人生修養的部分。

大致而言，〈大象傳〉的結構是將《乾》、《兌》、《離》、《震》、《巽》、《坎》、《艮》、《坤》等八個基本卦分別配合天、澤、火、雷、風、水、山、地等自然元素，再從中聯想到統治者應有的品德與作爲。從〈彖傳〉中也可以看到此八卦對應八種自然元素的解釋方式，但最爲貫徹此種方式的應該還是〈大象傳〉。

《乾》、《坤》二卦的〈大象傳〉，主張統治者應該

---

7 〔宋〕朱熹：《周易本義》，頁 60。
8 〔宋〕朱熹：《周易本義》，頁 63。

「自強不息」、「厚德載物」，也就是保持積極而不懈怠、培養自身德行而包容一切，這是比擬於天的運行不已、持續創生，以及地的順承於天、負載萬物。臺灣以及北京的清華大學校訓是「自強不息，厚德載物」，就是出自於此。《易傳》解釋《易經》的一個終極目標，就是要將自然秩序與人世間的道德秩序相連接（推天道以明人事），將前者視爲後者的根據。我們可以說在這種脈絡下，《易》學的宇宙論是後續的道德價值論述的基礎所在，而不僅僅具有機械性地描述自然規律的意義而已。像這樣子的詮釋方式與企圖，我們在往後的幾個主題中也會再度看到。

二、《易經》的宇宙論：「陰陽交錯創生萬物」、「易簡、變易、不易」

《易經》共有六十四卦，其中又分爲上經三十卦，下經三十四卦。上經起於《乾》、《坤》二卦，終於《坎》、《離》二卦；下經起於《咸》、《恆》二卦，終於《既濟》、《未濟》二卦，而《易傳》對此六十四卦次序的詮釋，正可窺見其宇宙論的主張。具體而言，此種主張表現在兩個方面：第一，「陰陽交錯創生萬物」，第二，「終而復始、始而復終」。

就以「陰陽交錯創生萬物」一項而言，《易經》的六十四卦以《乾》、《坤》兩卦爲首，而《易傳》對這兩卦分別賦予了天和地的象徵，兩者合起來也就代表了宇宙整體。關於天和地的角色，《乾》卦〈彖傳〉說：

> 大哉乾元，萬物資始，乃統天。雲行雨施，品物流

形。大明終始，六位時成，時乘六龍以御天。乾道變化，各正性命，保合大和，乃利貞。首出庶物，萬國咸寧。[9]

譯：偉大《乾》卦的德性，萬物因它而開始，也因它主導天體。雲運行而降雨，而萬物在天體流行中成形。太陽的光明終而復始地出現，爻的六個位置也照時序成形，然後按照時序，乘著六種龍的特性去駕馭天體運行。《乾》卦的運行之道在於主導變化，讓萬物各自安頓其性命，使其保存並聚合於最和諧的時序，於是合宜而正固。《乾》卦為創生萬物之開始，普世都可因此而獲得安寧。

《坤》卦〈彖傳〉說：

至哉坤元，萬物資生，乃順承天。坤厚載物，德合无疆。含弘光大，品物咸亨。牝馬地類，行地无疆，柔順利貞。君子攸行，先迷失道，後順得常。西南得朋，乃與類行；東北喪朋，乃終有慶。安貞之吉，應地无疆。[10]

譯：廣大《坤》卦的德性，萬物藉由它而得以生成，並順應而奉承著天體。《坤》卦代表大地，以其廣厚來承載萬物，德行與無邊無際相合。包容寬裕而廣闊遠大，使萬物都能通順暢達。母馬的特性與《坤》卦象徵的大地相似，奔馳於大地而沒有疆界，性格柔順而適宜正固。君子在前進時，一開始率先前行就會迷惑而失去正道，隨後以順從的方式追隨而前

9　〔宋〕朱熹：《周易本義》，頁 30。
10　〔宋〕朱熹：《周易本義》，頁 40。

> 進，就會回歸於正軌。在西南方得到朋友，是因為與同類相伴前行，在東北方喪失朋友，但最終還是會有喜慶。安於正固的吉祥，在於配合大地而永無疆界的限制。

從《乾》、《坤》兩卦〈彖傳〉的敘述來看，《乾》卦代表「天」，〈彖傳〉將其視爲創生萬物的力量，此即「乾元」，亦即「資始」，亦即有賴於天之創始生成。而將《坤》卦代表「地」，並將其視爲容納並涵養「天」所創生萬物的空間，此即「坤元」，亦即「資生」、「坤厚載物」，亦即萬物有賴於地之載物而能存在。換句話說，《乾》卦如果負責生生不已的創生萬物，而《坤》卦就是提供廣大無邊的空間，來承載萬物，使其得以持續資生。由此看來，《乾》卦主創生萬物、《坤》卦主畜養萬物，兩卦相互結合又分工合作，於是能夠創生萬物。《乾》、《坤》兩卦的〈彖傳〉，即在此種思維下，建構其宇宙論。

再換一種方式來說明《乾》、《坤》之道，例如：當人類面對此外在世界時，很輕易地就可以發現，自然中有一種既定的秩序、規律，讓生物可以獲得生存所需之資源（例如食物鏈），並具有繁衍的本能。而生物的死亡也是此規律的一部分，具有讓未來誕生的生物得以繼續存在下去的意義。清朝詩人龔自珍（1792-1841）的詩句「落紅不是無情物，化作春泥更護花」[11]，或許就是對這種意義的感懷吧。這一套最原始的秩序具有保障所有事物生生不息的功能，它存在於日夜四季的循環中，亦存在於萬物的生死流

11 〔清〕龔自珍：〈己亥雜詩〉第五首，收入《龔自珍全集》（臺北：河洛圖書出版社，1975 年），頁 509。

轉中。所謂的「各正性命」，就是指萬物在這套秩序中各有各的重要角色。若是沒有這套秩序，則「生存」也成爲無法實現的空談。是什麼樣的力量推動這套秩序？在《乾》卦〈彖傳〉的想法裡面，把這種力量的來源歸諸於「天」，「天」於是就具有了「萬物之始」的意義。力量本身是無形的，而它的具體展現就在於有形的世界中，也就是「地」。「地」本身是一個空間，容納著萬事萬物，有了「地」才能使「天」之力量產生的事物有一個得以生存的具體地方。《坤》〈彖傳〉用「順承」這樣的字眼來形容「地」，意思就是「地」承接了「天」的力量。如果把生命的誕生看作是一個歷程，那麼起點就是力量，終點就是事物的出現。〈繫辭傳〉所說的「《乾》知大始，《坤》作成物」（譯：《乾》道主導萬物的創始，《坤》卦運作而成就萬物。〈繫辭傳上・第一章〉），即爲此意。

如果我們肯定了《易傳》的作者透過《易經》詮釋寄託了這套想法，那麼也就可以理解爲什麼作者會寫下「生生之謂易」（譯：創生不已，就稱爲《易》。〈繫辭傳上・第五章〉）、「天地之大德曰生」（譯：天地最大的功能，就是創生萬物。〈繫辭傳下・第一章》〉了。會讚頌天地的「創生」功能，或許也可以說是寄託了崇敬之情在其中。而這種意識自然也與之後會談到的宗教主題有關。

這種對宇宙中的創生力量、自然秩序等等的肯定，既是《周易》中的宇宙論，同時也反映出幾個很重要的思想成分。其中兩個最重要的分別是二元對立的世界觀以及「健」與「順」的價值概念。

《周易》六十四卦，每卦有六個爻，爻又可分爲一條直線的陽爻以及兩短線的陰爻。陰與陽的概念，在《易傳》中則成爲重要的論述核心，透過《易傳》對「陰陽」的論述，以及理論的建構，於是陰陽遂成爲《周易》的重要特徵。《莊子・天下》說「《易》以道陰陽」[12]，認爲《周易》是在講陰陽的道理，這反映了戰國時代學者對《周易》的認識。事實上陰陽概念至今仍是中國文化的重要元素，並持續地在中醫、藝術、科學、文化、風水等領域中發揮作用。像這種將一個事物和另一個與之相對立的事物放在一起來看待世界的方式，就是二元對立的世界觀。限於篇幅，在此不擬談論陰陽概念的源流演變，總而言之，在《易》學所揭示出的世界觀中，世界的規律在於事物可以區分爲兩類，此兩類彼此相反對立，但是卻缺一不可，兩者的同時存在方能構成世界的和諧。所謂的「一陰一陽之謂道」（〈繫辭傳上・第五章〉）就表達了這種想法。事實上，陰與陽具有二元搭配變化之道，亦具有如理一分殊般之一元化二元之理。這種關係可稱作「對立統一」，亦即兩者彼此之間互相對立，但是卻包含在一個整體之中共同維繫整體的存在。

如果以先秦時代中醫思想爲例，《左傳・昭公元年》部分的歷史記載提供了一個關於重視陰陽平衡的論點：

> 晉侯求醫於秦，秦伯使醫和視之，曰：「疾不可為也。……天有六氣，降生五味，發為五色，徵為五聲，淫生六疾。六氣曰：『陰、陽、風、雨、晦、明』也。分為四時，序為五節，過則為災。陰淫寒

12 〔清〕郭慶藩：《莊子集釋》（臺北：河洛圖書出版社，1974 年），頁 1067。

> 疾，陽淫熱疾……。」[13]
>
> 譯：晉侯向秦國請求醫生問診，秦伯便使醫生和前往觀診，和說：「疾病已經到了不可醫的地步了……天有六種氣象，降生而成五種味道，表現為五種顏色，發為五種聲音，因其過盛而生出六種疾病。六種氣象指的是：『陰、陽、風、雨、晦、明』。有四季之區分，時序則為五節，不按照時序而行則將有災病。陰氣過盛將會產生寒病，陽氣過盛則將會產生熱病。」

最後的「陰淫寒疾，陽淫熱疾」一句乃重點所在。陰氣過盛則會產生寒病，陽氣過盛則會產生熱病，都是「過則爲災」。身體健康乃是建立在兩者的平衡之上，現代中醫亦多認同此觀點，而這種思考框架就是二元對立世界觀的產物。《周易》的宇宙論，亦可以很明顯看到：全由陽爻組成的《乾》卦所象徵的天，以及全由陰爻組成的《坤》卦所象徵的地，在萬物之形成與生生不息的循環過程而言，是缺一不可的。天在上，地在下；前者創造，後者承接。相反的兩者彼此形成一個整體，才能共同維繫這個世界，確保秩序的和諧。因此，《乾》《坤》交錯，而後天地方能正式運行，故第三卦《屯》卦〈彖傳〉說：

> 《屯》，剛柔始交而難生。動乎險中，大亨，貞。雷雨之動滿盈，天造草昧，宜建侯而不寧。[14]
>
> 譯：《屯》卦，陽剛之氣與陰柔之氣開始接觸交流，

---

13 〔晉〕杜預集解；〔唐〕孔穎達等正義：《春秋左傳正義》，頁708-709。

14 〔宋〕朱熹：《周易本義》，頁46。

> 各種困難也因此隨之產生。在險難中行動不已，要使一切通達而正固。雷震雨施遍佈各地，而天地的創生仍在草創冥昧的階段，適宜建立侯王，而且勤奮不已的努力。

《屯》卦的〈彖傳〉說「陽剛之氣與陰柔之氣開始接觸交流，各種困難也因此隨之產生」，所謂陽剛之氣與陰柔之氣，指的是陽爻與陰爻。由於《乾》卦純陽，《坤》卦純陰，兩者提供創生萬物的動力來源，然而若陰陽彼此不相接觸，則天地雖然具備創生的動力來源，卻尚未進入創生的階段。因此，唯有陰爻與陽爻彼此接觸交流，萬物才能開始生成，故《屯》卦作爲《乾》、《坤》兩卦之後的第三卦，其中初九、九五爲陽爻，六二、六三、六四、上六爲陰爻，一卦之中陰爻與陽爻交錯，正象徵陰爻與陽爻彼此有了接觸，於是才正式進入萬物創生的階段，但由於處於創生之初，隨之而來的是各式各樣的困難，因此〈彖傳〉說《屯》卦是在險難中行動（《屯》卦爲《坎》、《震》二卦組成，坎德爲險、險難，震德爲動，故〈彖傳〉解釋《屯》卦爲「動乎險中」），在險難中行動，只有以通達正固的心態面對，才能夠在險難中行動而能亨通。此種「陰陽交錯方能創生萬物」的觀念，在〈繫辭傳上・第二章〉中亦可見及：

> 聖人設卦，觀象繫辭焉而明吉凶，剛柔相推而生變化。[15]
>
> 譯：聖人設畫八卦，觀察卦象並且繫上解說，用以

---

15 〔宋〕朱熹：《周易本義》，頁 235。

> 彰顯吉祥與凶險，透過陽爻與陰爻互相交錯推移而生成變化。

此處所謂的「剛柔相推而生變化」，正與《屯》卦所說的「剛柔始交而難生」一致。又如〈繫辭傳下·第一章〉說：

> 八卦成列，象在其中矣。因而重之，爻在其中矣。剛柔相推，變在其中矣。繫辭焉而命之，動在其中矣。[16]
>
> 譯：八卦排成序列，卦象就在其中了。取八卦重疊組合，六爻就在其中了。陽爻與陰爻互相交錯推宜，變化生成就在其中了。繫附上卦爻辭的說明，所有的變動便都在其中了。

由此看來，《易傳》特別強調陽爻與陰陽的相互交錯，才能正式進入創生萬物的階段，如果只有《乾》卦純陽與《坤》卦純陰，則只是具備創生萬物的動力根源，尚未進入實質的創生階段。此外，又如《姤》卦〈彖傳〉說：

> 姤，遇也，柔遇剛也。「勿用取女」，不可與長也。天地相遇，品物咸章也。剛遇中正，天下大行也。姤之時義大矣哉！[17]
>
> 譯：《姤》卦，就是相遇，柔順遇到剛強者。不要娶這樣的女子，因為無法與其一起長期相處。天地陰陽相遇，各類事物都充滿生機。剛強者遇到居中守正的機會，天下一切就順利的進展了。《姤》卦的時勢意義極為重大！

《姤》卦的〈彖傳〉所說的「天地相遇，品物咸章也」，

---

16 〔宋〕朱熹：《周易本義》，頁 252。
17 〔宋〕朱熹：《周易本義》，頁 170。

就是說明《乾》、《坤》陰陽兩者相遇交錯，才是真正進入創生萬物的階段。

如果說《乾》、《坤》陰陽交錯，方才進入創生萬物的階段，那創生萬物之後，《易傳》又如何揭示運行的原理？

《易傳》中所揭示的運行原理，其原則在於「簡易」、「變易」、「不易」，此三者又稱「《易》之三名」。何謂「《易》之三名」？據《中華百科全書》中黃慶萱所撰「三易」一條：

> 二、《易》之三名，謂簡易、變易、不易也。《易》緯《乾鑿度》：「《易》一名而含三義，所謂易也，變易也，不易也。」又云：「易者，其德也；變易者，其氣也；不易者，其位也。」鄭玄依此義作《易贊》及《易論》云：「《易》一名而含三義；易簡，一也；變易，二也；不易，三也。故〈繫辭〉云：『乾坤其易之蘊邪』又云：『易之門戶邪。』又云：『夫乾確然示人易矣；夫坤隤然示人簡矣。易則易知；簡則易從。』此言易簡之法則也。又云：『為道也屢遷，變動不居，周流六虛，上下無常，剛柔相易，不可為典要，唯變所適。』此言順時變易，出入移動者也。又云：『天尊地卑，乾坤定矣；卑高以陳，貴賤位矣；動靜有常，剛柔斷矣。』此言其張設布列，不易者也。」案：《易》以陰、陽概括萬事萬物，所謂「一陰一陽之謂道」，其道至為簡易。而陰陽相變，所謂「為道也屢遷」，此即變易之義。變易者，謂現象世界時在變易之中也。然歸納變易之現象，亦可得不易之定理，所謂「動靜

有常」，亦即「形而上者謂之道」，此形而上之常道，則不易者也。[18]

就黃慶萱此條解釋來看，「簡易」、「變易」、「不易」三種概念，雖然已經出現於〈繫辭傳〉中，然而論其來源，則是從漢代《乾鑿度》一書而來。而鄭玄的解釋特色，在於緊扣〈繫辭傳〉上所提到的「簡易」、「變易」、「不易」的詞彙與概念，再進行深入的解釋，與《乾鑿度》的解釋相較，鄭玄的解釋在文獻上更加有根據。

就鄭玄對「簡易」的概念而言，鄭玄引了〈繫辭傳〉中涉及「簡易」的三條資料來解釋，第一條是〈繫辭傳上．第十二章〉：

《乾》、《坤》，其《易》之蘊邪？《乾》、《坤》成列，而《易》立乎其中矣。《乾》、《坤》毀，則无以見《易》。《易》不可見，則《乾》、《坤》或幾乎息矣。[19]

譯：《乾》卦與《坤》卦，是《易》經蘊藉之所在吧！《乾》卦與《坤》卦排序成列之後，《易經》的法則就能建立起來。《乾》卦與《坤》卦如果毀壞，就無法見到《易經》的法則。《易經》的法則無法見到，那麼《乾》、《坤》創生萬物的功用也消失了。

鄭玄根據此條〈繫辭傳〉以爲，《乾》、《坤》兩卦就是《易經》的蘊藉之所在，藉由此二卦，故能生成以下的

---

18 中華百科全書網 http://ap6.pccu.edu.tw/Encyclopedia/data.asp?id=8961

19 〔宋〕朱熹：《周易本義》，頁 250。

六十二卦，由此極簡之二卦，而能衍生極繁之六十二卦，故《乾》、《坤》爲《易經》蘊藉之所在，而《乾》、《坤》定位之後，所有六十二卦就能逐一生成，此即由簡易以致繁複。

其次，鄭玄所引第二條，則出自〈繫辭下傳·第六章〉，其文如下：

> 子曰：「《乾》、《坤》，其《易》之門邪？」《乾》，陽物也；《坤》，陰物也；陰陽合德而剛柔有體，以體天地之撰，以通神明之德。[20]
>
> 譯：孔子說：「《乾》卦與《坤》卦，是進入《易經》的門徑吧！」《乾》卦代表陽，《坤》卦代表陰，陰陽互相交錯配合，而剛與柔又各有其體性，如此則可以體現天地創生、化生萬物的旨趣，亦可以貫通、通達神明的功能。

鄭玄用此〈繫辭傳〉此條，所要說明的是《乾》、《坤》代表陰陽二種極簡的不同屬性，而透過此二種極簡不同的屬性，相互交錯推宜變化，即可創生萬物，於是至簡至易，可以創生、衍生至繁至複，故《乾》、《坤》二卦爲《易經》之門戶。

再者，鄭玄所引第三條，則是出自〈繫辭傳上·第一章〉與〈繫辭傳下·第一章〉，其文如下：

> 《乾》知大始，《坤》作成物。《乾》以易知，《坤》以簡能。易則易知，簡則易從。[21]
>
> 譯：《乾》卦主導萬物的創生，《坤》卦則是藉此

---

20 〔宋〕朱熹：《周易本義》，頁 259-260。
21 〔宋〕朱熹：《周易本義》，頁 233。

> 成就萬物。《乾》卦以其容易的德性主導生成萬物，《坤》卦以其簡單的德性成就萬物。容易就易於讓人理解，簡單就易於跟從。
>
> 夫《乾》，確然示人易矣；夫《坤》，隤然示人簡矣。[22]
>
> 譯：《乾》卦以其剛健之德，向人顯示容易的道理。《坤》卦以其柔順之德，向人顯示簡單的道理。

鄭玄引了〈繫辭傳〉的兩條資料，說明《易經》中《乾》以易知知大始，《坤》以簡能作萬物，前者以容易的德性主導創生萬物，後者以簡能的德性成就萬物，故「簡易」爲《易經》創生萬物的重要方式，由此「簡易」遂能創造衍生萬物，涵養成就萬物，遂能以易簡之兩卦，創衍出至繁至複之萬事萬物。（由於受到〈繫辭傳〉的影響，「簡易」又稱「易簡」，「易知」爲《乾》卦之德，「簡能」爲《坤》卦之德，按照《乾》、《坤》先後順序，所以又稱「易簡」。）

如果說「簡易」是指《乾》、《坤》二卦，以至簡至易的方式，創衍至繁至複萬事萬物的方式，那麼「變易」此一方式，則是說明《易經》揭示事物永在流動變易的過程之中，故鄭玄引〈繫辭下傳・第八章〉加以申論：

> 《易》之為書也不可遠，為道也屢遷，變動不居，周流六虛，上下無常，剛柔相易，不可為典要，唯變所適。[23]
>
> 譯：《易經》這本書的道理並不是離我們很遠。它所揭示的道理法則經常遷移變化，而且流動不會停

22 〔宋〕朱熹：《周易本義》，頁 252。
23 〔宋〕朱熹：《周易本義》，頁 262。

止，在虛擬的六個爻位之中循環流動，往上往下沒有一定的常規，陽爻陰爻也往往會相互變易，沒有固定的方式，總是一直隨著變化發展下去。

鄭玄根據此段以爲《易經》具有變易的法則，亦即所謂的「此言順時變易，出入移動者也」（譯：這是說順著時勢變易，而或出仕（出外）或歸隱（家居），或移動變化的意思）。換言之，「變易」是在說明《易經》永在流動變化，不會永遠只停留在某一卦某一爻。若將事物的發展比喻成六十四卦，則萬事萬物可被歸納成六十四種時態或狀態，而各卦中的六爻，則象徵著在此時態或狀態中，共有六種時序在持續發展，亦即一卦由初爻乃至上爻，之後就會轉向另一卦，故由《乾》卦初爻開始變化，到了上爻，就往《坤》卦初爻前進，故《易經》永在流動變化，不會永遠停在哪一卦哪一爻。

然而，何謂「不易」呢？如果《易經》如上所述，是永在變化流動之中，那何來「不易」之說？

就鄭玄的解釋而言，鄭玄引〈繫辭傳〉：

天尊地卑，《乾》、《坤》定矣。卑高以陳，貴賤位矣。動靜有常，剛柔斷矣。[24]

譯：天在上而地在下，《乾》與《坤》的序位就排定了。（六爻）從低到高陳列出來，貴與賤就有了固定的位置。變動與靜止都有一定的規律，陽爻與陰爻就斷然分判出來了。

鄭玄認爲〈繫辭傳〉此段意思，是在說明「張設布列，

24 〔宋〕朱熹：《周易本義》，頁233。

不易者也」（譯：張羅設立，布置排列，是不可變易的）的概念，亦即六十四卦中，《乾》、《坤》爲首，其中又因天尊地卑而有尊卑之分，六爻之中有高有低，故有貴賤之別，陽爻主變動陰爻主順從，故動靜變化有其規則，剛柔又有分別。此種種分別區分，對鄭玄而言是《易經》中所揭示的一種不易的常理。

然而，除了鄭玄所揭示的此種不易的道理之外，事實上還隱含著一種終而又始始而又終的「往復循環不已」的概念。這是因爲《易經》下卦終於《既濟》、《未濟》兩卦，《既濟》象徵事物皆已完成，《未濟》象徵事物皆未完成，《易經》排序先《既濟》後《未濟》，則有先終後始的概念，先言終而後言始，代表事物終而復始從頭循環，如此而往復不已。此種始而復終終而復始，循環不已的的概念，亦正是《易經》變易之中所蘊含「不易」的真理。

如果說《乾》、《坤》陰陽，是創生萬物的依據與動力來源，那麼其創生方式的內涵，則具有「簡易」、「變易」、「不易」三種。此《乾》、《坤》陰陽與「三易」，形成了《易經》宇宙論的主要內涵。

第四章　經濟論〈屯〉

緒　論

經濟活動是人類發展歷程中必然會出現的現象，不論是最早的以物易物或是現在的貨幣經濟（或是從古代小型貿易到現代跨國企業的出現），都是人類基於自身的需求，並使用自身資源與其他人做交易的活動使然。司馬遷（前145-？）《史記》中的〈貨殖列傳〉一篇，是總結戰國至秦漢之際經濟活動的重要文獻，這篇文獻中有系統地記錄了各種經濟型態，以及對各種經濟型態的看法。文中起始便引用《老子》的話作爲反面主張：

> 《老子》曰：「至治之極，鄰國相望，雞狗之聲相聞，民各甘其食，美其服，安其俗，樂其業，至老死不相往來。」必用此為務，輓近世塗民耳目，則幾無行矣。[1]
>
> 譯：《老子》說：「秩序最好的國家，是百姓彼此相鄰，雞鳴狗叫聲都可以互相聽見，而人們對自己的衣食感到滿意，也對自己的風俗習慣以及自己所從事的工作感到滿意，但卻一輩子不相往來。」誰

---

1 〔漢〕司馬遷：《史記》（臺北；大申書局，1977 年 7 月），卷 129，〈貨殖列傳〉，頁 3253。

要是以這種方式為尚，用來麻木人民，並以這方式來挽救國家，那是不可能有好效果的。

這段話的意思是說：人類不可能永遠生活在老子所想像中小國寡民的世界，尤其是隨著人類文明的演進，群體規模的增大，社會分工逐漸的細密，於是人類的生存，遂越來越倚靠經濟活動網絡的運作，而《周易》經傳中，也保留了不少古代經濟活動的相關記錄，其中大致可分爲「《周易》經傳中有關經濟活動、型態的相關記錄」與「《周易》經傳針對經濟活動、型態的相關記錄所延伸的文化詮釋」兩項。

一、《周易》經傳中有關經濟活動、型態的相關記錄

一般而言，《周易》的卦爻辭雖然說是占卜結果，但也可以從內容窺知上古時代，至少西周初年以前的社會面貌。因此，《周易》所記載的內容，其實也可視爲歷史紀錄，而其中亦包含了經濟活動、型態的相關記錄，例如《坤》卦中記載了相關的經商活動：

《坤》：元亨，利牝馬之貞。君子有攸往，先迷後得主，利西南得朋，東北喪朋，安貞吉。[2]

譯：開始，通達，適宜像母馬那樣的正固。君子往前行走時，率先行走就會迷路，隨後順從著走，就會找到主人。在西南方便有獲得到朋幣的利益（或

2 〔宋〕朱熹：《周易本義》，頁 39。

有解釋為「朋友」），在東北方就會喪失朋幣的利益，安於正固就會吉祥。

「朋」字在《周易》卦爻辭中，最原始的意義是指貨幣，材質屬於貝類。《損》卦六五爻和《益》卦六二爻兩處爻辭中，所出現的「或益之十朋之龜」（譯：或有人增益他價值十朋的龜。）中的「朋」字也是此義，「十朋」表示此龜（用作占卜道具）的貴重程度。[3]「西南得朋，東北喪朋」，這一卦辭預測了往哪個地方才能獲利而避免賠錢，是一則與貿易有關的問卜結果。《周禮．春官》在描述古代官制中掌管占卜的職掌時說「以邦事作龜之八命，一曰征，二曰象，三曰與，四曰謀，五曰果，六曰至，七曰雨，八曰瘳」[4]（譯：將邦國之事歸納成八種然後用龜卜占問：一是征伐的吉凶爲何，二是上天垂象的吉凶爲何，三是可否參與，四是謀議是否可行，五是事情能否成功，六是人是否會到來，七是下雨與否，八是病是否能痊癒。）表示此時主要占問的事情，包含戰爭以下八種。其中，《坤》卦所涉及的獲「朋」卦辭，大致上屬於第五類的「果」。而此種卦辭的出現，或許表示出外貿易已有逐漸普遍的跡象，因此事先占卜，以求預示吉凶禍福。

此外，交易類型的經濟活動，在〈繫辭傳〉中亦有提及：

日中為市，致天下之民，聚天下之貨，交易而退，

3 「崔憬曰：『或之者，疑之也。』故用元龜價值二十大貝，龜之最神貴者以決之，不能違其益之義。」見〔唐〕李鼎祚：《周易集解》（臺北：臺灣商務印書館，2004 年 10 月），頁 203。

4 〔漢〕鄭玄注；〔唐〕賈公彥疏：《周禮注疏》，頁 371。

各得其所，蓋取諸《噬嗑》。[5]

譯：每天正午開設市集，招致天下的人民，聚集天下的貨物，大家互相交易之後而離去，讓人人都能夠獲得自己需要的貨物。這大概就是取象於《噬嗑》卦。

〈繫辭傳〉此處旨在敘述人類文明所需的各種器物制度，分別來自哪一卦的卦象，於是共列出十三個卦，並論述其與十三種器物制度的關係，此十三卦將詳述於後。這固然只是比附而不一定是歷史事實[6]，但不可否認的是，這裡確實描述了人類從原始狀態到文明形成的一種發展，而經濟活動正是文明發展中的一個重要面向。

在此活動中，人類聚集起來，交換彼此資源，透過貿易而滿足所需，以達到「各得其所」的目標，這確實是使人類群體得以永續生存的重大制度。從統治者的角度來說，能否保障經濟的活絡，而能讓眾人「各得其所」，也是施政的一項重大任務。〈繫辭傳〉認為這是取自《噬嗑》卦，或者是說〈繫辭傳〉作者從《噬嗑》卦聯想到經濟活動。

那麼何以用《噬嗑》卦來表達經濟活動呢？

《噬嗑》的〈彖傳〉說：「頤中有物曰《噬嗑》」，（譯：口中有東西就是《噬嗑》卦。）意思是指口中咬著

5 〔宋〕朱熹：《周易本義》，頁 253。

6 例如朱熹說：「十三卦所謂『蓋取諸《離》』、『蓋取諸《益》』者，言結繩而為網罟，有《離》之象，非觀《離》而始有此也。」據黎靖德編：《朱子語類》第四冊（臺北：華世書局，1987 年），頁 1619。關於《繫辭傳》此處的「觀象制器說」筆者認為器（文明制度）與象（卦象）之間的關係，並不是在實際歷史中，而是存在《繫辭傳》作者對卦象所做的詮釋裡。我們可以將之視為一種「文明制度在先天上即有存在之根據」的思想。

東西的狀態。〈序卦傳〉說「嗑者，合也」（譯：『嗑』就是指咬合的意思。），亦即咬著東西時上下兩排牙齒是呈現咬合的狀態，於是乎就不難明白選擇《噬嗑》卦的理由，此乃取象於「經濟活動得以進行，有賴於眾人彼此的『交集會合』」，亦即《噬嗑》卦是取「交集會合」之象。

此種「會合」的概念，亦見於兩處，一是《泰》卦的〈彖傳〉：

> 「《泰》，小往大來，吉，亨」，則是天地交而萬物通也，上下交而其志同也。內陽而外陰，內健而外順，內君子而外小人，君子道長，小人道消也。[7]
>
> 譯：「《泰》卦，小小的前往，大大的到來，吉祥通達」，這是因為天地二氣相互交流，使得萬物通順暢達，上下能夠交通往來而心意相同。陽剛居內而陰柔處外，居內是剛健而處外是柔順，居內是君子而處外是小人。君子之道持續在增長，小人之道持續在消退。

一處見於《否》卦〈彖傳〉：

> 「《否》之匪人，不利君子貞，大往小來」則是天地不交而萬物不通也，上下不交而天下无邦也。內陰而外陽，內柔而外剛，內小人而外君子。小人道長，君子道消也。[8]
>
> 譯：「《否》卦的不與人交通，對於君子的正固而言是不適宜的，大大的前往，小小的到來」，這是因為天地二氣不相互交流，使得萬物不能通順暢

---

7 〔宋〕朱熹：《周易本義》，頁 72。
8 〔宋〕朱熹：《周易本義》，頁 75。

達，上下不能夠交通往來而天下沒有國家的存在。陰柔居內而陽剛處外，居內是柔順而處外是剛健，居內是小人而處外是君子。小人之道持續在增長，君子之道持續在消退。

《泰》、《否》兩卦分別取「會合」與「沒有會合」之象，且由於兩卦皆含有《乾》三陽、《坤》三陰，故分別以「天地交」和「天地不交」來作說明。《泰》卦由於在上位者與在下位者彼此能夠相互交流，心意一致，於是施政自然順利，而《否》卦反之，是上下彼此不能相互交流，心意不能一致，於是事事窒礙難行，國家終將走向衰敗。

因此，天地間所發生的人、事、物，有沒有「會合」或交流，實爲人類發展順利與否之關鍵。而用「其志同」這個詞，自然就表示此會合不限於有形之面對面，也可以是指心理意志上是否相通、是否有意願彼此合作。

回到經濟活動來看，如前所述，貿易成立的根本在於雙方彼此之間對交易物、交易價格等等產生共識，透過會合而互通有無。事實上這也是使得各種資源得以廣爲分配，促進整體生活水準乃至文明發展的途徑。司馬遷說：

夫山西饒材、竹、穀、纑、旄、玉、石；山東多魚、鹽、漆、絲、聲色；江南出柟、梓、薑、桂、金、錫、連、丹、沙、犀、瑇瑁、珠璣、齒、革；龍門碣石北多馬、牛、羊、旃、裘、筋、角、銅、鐵，則千里往往山出棊置。此其大較也，皆中國人民所喜好，謠俗被服飲食奉生送死之具也。故待農而食之，虞而出之，工而成之。商而通之。此寧有政教發徵期會哉？人各任其能竭其力，以得所欲。故物賤之徵貴，貴之徵賤，各勸其業，樂其事，若水之趨下，日夜無休時，不召而自來，不求而民出之，豈非道之所符而自然之驗邦？[9]

譯：山西地區盛產木材、竹子、穀樹、布纑、旄牛、玉石；山東地區盛產魚、鹽、漆、絲、歌兒舞女；江南地區盛產楠木、梓材、薑、桂、金、錫、鉛、丹砂、犀角、瑇瑁、珍珠、象牙、皮革；龍門、碣石以北盛產馬、牛、氈袍、筋、角、銅、鐵，在千里之外星羅棋布。以上是就其大概而言。這些東西都是中國人民所喜好的，也是大家日常生活中所賴以養生送死的東西。這些東西都要等待農民去種植，需要虞人去開採，需要工匠去加工，需要商人去流通販賣。這些活動難道需要有人下令來規定他們進行嗎？人們都是憑著自己的專長能力，竭盡自己的心力，來獲取自己想要的東西。一種東西的價格太低賤就要逐漸變貴，太高貴了就要逐漸變低賤，人們都努力從事於自己的職業，都喜歡做自己想做的事情，就如同水晝夜不停往低處流動，不用誰去號召而人們自己就會來，不用誰去要求而人們就會自己行動。這不正是符合規律，體現了自然的法則嗎？

全國各地所出產之天然資源，皆爲人類所需。因此人類社會中出現分工制度，有工人進行開採加工、商人進行運輸買賣等等，這都是自然而然會發生的現象，也是統治

9 〔漢〕司馬遷：《史記》，卷 129，〈貨殖列傳〉，頁 3254。

者需要加以因勢利導的。就這個角度而言，「會合」亦可以說是一種先天上的趨向，進而扮演著經濟活動的推手。

正如同「變化」是《周易》哲學所欲揭示的世界面貌一樣，因「會合」而產生的經濟活動也不會永遠順利地發展下去。諸如需求與供給無法配合、市場上交易雙方最低願受價格與最高願付價格不一致、少數人壟斷資源造成資源分配不均乃至於貧富差距擴大，或是利用資訊不對稱而牟取暴利等等因素，皆會使交易無法形成。如放任下去，終將造成經濟活動蕭條，乃至社會體系崩潰。這些也可以說是「上下不交而天下无邦也」，實乃統治者不可不慎之處。

總而言之，如同「蓋取諸《噬嗑》」這一句所說的，經濟活動的推手在於「會合」。有了「會合」，人類才得以透過交易滿足自身需求而又促進社會發展。若無此，則人類永遠只能停留在原始的小規模群體以及低階的自然生產。然而，不管是「會合」抑或「不合」，皆會自然而然地產生。如何使經濟活動得以永續發展，確保個體以及總體的長久生存，這是人類必須面對的永恆且嚴肅的課題。

二、《周易》經傳針對經濟活動、型態的相關記錄所延伸的文化詮釋

《周易》經傳中所記載的經濟活動、型態的相關記錄，其目的在於借物喻事，其主要核心思想，可延伸至「制器尚象」（或所謂的「觀象制器之說」）與「推天道以明人事」二項。

以「制器尚象」一項而言，〈繫辭傳下〉第二章提及

十三卦的卦象的起源：

古者包犧氏之王天下也，仰則觀象於天，俯則觀法於地，觀鳥獸之文，與地之宜，近取諸身，遠取諸物，於是始作八卦，以通神明之德，以類萬物之情。作結繩而為罔罟，以佃以漁，蓋取諸《離》。包犧氏沒，神農氏作，斲木為耜，揉木為耒，耒耨之利，以教天下，蓋取諸《益》。日中為市，致天下之民，聚天下之貨，交易而退，各得其所，蓋取諸《噬嗑》。神農氏沒，黃帝、堯、舜氏作，通其變，使民不倦；神而化之，使民宜之。《易》窮則變，變則通，通則久，是以「自天祐之，吉，无不利」。黃帝、堯、舜垂衣裳而天下治，蓋取諸《乾》、《坤》。刳木為舟，剡木為楫，舟楫之利，以濟不通，致遠以利天下，蓋取諸《渙》。服牛乘馬，引重致遠，以利天下，蓋取諸《隨》。重門擊柝，以待暴客，蓋取諸《豫》。斷木為杵，掘地為臼，臼杵之利，萬民以濟，蓋取諸《小過》。弦木為弧，剡木為矢，弧矢之利，以威天下，蓋取諸《睽》。上古穴居而野處，後世聖人易之以宮室，上棟下宇，以待風雨，蓋取諸《大壯》。古之葬者，厚衣之以薪，葬之中野，不封不樹，喪期无數，後世聖人易之以棺槨，蓋取諸《大過》。上古結繩而治，後世聖人易之以書契，百官以治，萬民以察，蓋取諸《夬》。[10]

譯：古代伏犧氏統治天下時，抬頭仰觀天象，低頭

10 〔宋〕朱熹：《周易本義》，頁253-254。

俯察地理，觀視鳥獸的紋路與地理的特性，就近則取材於自己的經驗，遠處則取材於外物，然後開始創制八卦，用以會通神明的功能。用以比擬萬物的情況。編草結繩來製作網羅，並用來打獵捕魚，這大概就是取象於《離》卦。伏犧氏逝世之後，神農氏繼起，砍削木頭製成犁器，揉彎木條製成犁柄，用犁耕地除草的便利，來教導天下百姓，這大概就是取象於《益》卦。每天正午開設市集，招致天下的人民，聚集天下的貨物，大家互相交易之後而離去，讓人人都能夠獲得自己需要的貨物。這大概就是取象於《噬嗑》。神農氏逝世之後，黃帝、堯、舜相繼興起，會通各種巧妙的變化，使百姓運用而不會厭倦，以神妙的能力化解各種困難，使百姓能夠適宜生存。《易經》的原理就是：窮困就會變化，變化就會通達，通達就可以永久。因此，能夠獲得上天的助祐，吉祥而無所不利的。黃帝、堯、舜讓衣裳垂下就能讓天下大治，這大概就是取象於《乾》卦與《坤》卦。挖鑿樹幹造船，砍削木頭製槳，船與槳的便利，可以幫助人們渡過橫阻的河流，前往到遠方而造福天下人，這大概就是取象於《渙》卦。馴服牛，乘著馬，可以使其牽引重物及乘駕至遠方，造福天下的人，這大概就是取象於《隨》卦。重重的門戶再加上打更巡夜，用以防備兇暴的侵入者，這大概就是取象於《豫》卦。截斷木頭製成杵，挖掘平地做成臼，杵臼的便利，讓所有的百姓都能得到幫助，這大概就是取象於《小過》。揉彎樹枝做成弓，削尖樹枝做成箭矢，弓箭的便利，用以威震天下，這大概就是取象於《睽》卦。上古時代，人們住在洞穴與野外，後世的聖人則是建築宮室來改變居住方式，上有棟梁下有屋宇，用來防禦風雨，這大概就是取象於《大壯》卦。古代埋葬死人，用許多層柴草包裹屍體，埋在荒野中，不堆成墳墓，也不設立標誌，服喪也無一定的期限，後世的聖人就用棺槨殮葬來改變埋葬方式，這大概就是取象於《大過》卦。上古時代用結繩記事的方式來治理，後世的聖人就用文字來改變記錄方式，官員得以方便治理，百姓得以方便受到管制，這大概就是取象於《夬》卦。

〈繫辭傳〉所提到的《離》、《益》、《噬嗑》、《乾》、《坤》、《渙》、《隨》、《豫》、《小過》、《睽》、《大壯》、《大過》、《夬》十三卦，都是用來說明「觀象制器」的觀念。〈繫辭傳〉以為，人類的制度器物與文明，都從八卦及其重疊的六十四卦的象得到啓發，於是〈繫辭傳〉列舉了十三卦，說明十三種制度器物或文明的產生，是從這十三卦的象而來。這十三卦之中，較直接涉及經濟活動的，包括《離》、《益》、《噬嗑》、《渙》、《隨》、《小過》六個卦。

《離》卦所涉及的經濟活動是捕魚、打獵，屬於狩獵的經濟型態，《益》卦則涉及到農業的經濟型態，《噬嗑》卦涉及到商業的經濟型態，《渙》、《隨》卦涉及到交通、運輸相關的經濟型態，這六卦都是跟經濟活動有關。再者，從〈繫辭傳〉對這六個卦的解釋，可以理解《周易》作者認爲經濟活動的產生，乃是聖人透過「觀象制器」後得到啓發而設立的，亦即透過卦象的啓發，聖人遂能設立種種相關的經濟活動，而爲人民造福謀利。因此，《周易》對於經濟活動的記錄，主要的核心還是立足於「觀象制器」的原則上。

至於「推天道以明人事」一項，此爲《易傳》的重要觀念，而在有些經濟活動的相關記錄上，《易傳》也發揮此種概念。例如《大有》一卦，是指農業經濟活動時的大豐收，其中九二與九四爻辭說：

> 九二：大車以載，有攸往，无咎。
>
> 譯：九二：用大車來裝載，有所前往，沒有災難。
>
> 九四：匪其彭，无咎。[11]
>
> 譯：九四：匪器裝盛非常多，沒有災難。

「大車以載」指的是農業社會的大豐收，亦即《史記》所謂的「汙邪滿之」的意思，而「匪」字在《說文解字》中指的是「似竹匧」的器物，可以用來裝盛穀物，似於《史記》所謂「甌窶滿篝」的意思，這些都是用來說明農業社會的大豐收。因此，《大有》指的是農業經濟活動處於大豐收的時期。然而，面對此種大豐收的時期，《易傳》真正措意之所在，在於處大有豐盛之時，該當如何？亦即如何推天道以明人事？

就〈彖傳〉而言：

> 《大有》，柔得尊位，大中而上下應之，曰「大有」。

---

11 〔宋〕朱熹：《周易本義》，頁 82。

其德剛健而文明，應乎天而時行，是以「元亨」。[12]
譯：《大有》卦，柔順而得尊貴的位置，大行中道而上下都來應合，所以稱為《大有》卦。《大有》的卦德在於陽爻剛健而有文采光輝，配合天體運行順於天時，因此能夠通達。

〈彖傳〉從卦體的結構，來解釋《大有》卦之所以元亨。例如六五陰爻以柔順取得尊貴之位，並大行中道以求上下應合，而九二陽爻剛健又有文采光輝，能順應天時，故能元亨。此處雖然是以卦體解釋卦辭，然其用意仍在於推天道以明人事，故所謂的以「柔順居尊行中道」、「以剛健之德順天應時」的概念，亦可視爲處大有豐盛之時，所該當自處的道德準則。

再如〈大象傳〉：

火在天上，《大有》。君子以遏惡揚善，順天休命。[13]
譯：火在天的上方，這就是《大有》卦。君子因此領悟要遏止邪惡顯揚良善，順從上天賦予的善良使命。

〈大象傳〉則是由《大有》之卦象，推出「遏惡揚善，順天休命」的道德準則。

由此看來，《周易》中雖然有經濟活動的相關記錄，然而《周易》經傳對於此類記錄，其核心仍在於「觀象制器」、「推天道以明人事」，而非單純的作爲經濟活動記錄的史料而已。

12 〔宋〕朱熹：《周易本義》，頁 81。
13 〔宋〕朱熹：《周易本義》，頁 81。

第五章　教育論〈蒙、需〉

緒　論

接受教育是人類成長中必經的過程，家庭、學校、社會，處處存在著教育場域。人類在接受教育的過程中，學得生存的基本知識或進階技能，乃至於各種學問，更重要的是學得「社會化」。所謂的「社會化」，指的是在學習活動中進行自我轉化，進行認知外在秩序，與做出恰當的行為，促使社會體系得以穩定。社會猶如個體亦會成長，並且可藉由教育，將知識、技能、文化傳遞至下一代，不僅可幫助下一代順利獲得生存的相關智慧，亦可藉此讓文明薪火相傳。就此意義而言，教育是攸關個人與社群之存續，在發展過程中不可或缺之物，而《周易》經傳中，亦有不少關於教育的記錄。大致而言，《周易》經傳中有關教育的記錄，有狹義與廣義二種：狹義的是指「《蒙》卦的教育思想」，廣義的部分包含「神道設教的思想」及「推天道以明人事的易教思想」二種。

一、《蒙》卦的教育思想
——「童蒙求我」、「闇者求明」

《周易》經傳中明顯與教育有關者，當屬《蒙》卦。《蒙》卦的「蒙」字，本身即有「蒙昧」的意義，而在卦辭及爻辭之中，又有「才知之困」與「未受教育」兩種意義。《蒙》卦卦辭說：

> 《蒙》：亨。匪我求童蒙，童蒙求我。初筮，告，再三，瀆，瀆則不告。利貞。[1]
>
> 譯：《蒙》卦，亨通。不是我去求蒙昧的學童來受教，而是蒙昧的學童來求教於我。初次求占筮，可以告訴他結果，如果要求重占二、三次，就是褻瀆神明，褻瀆神明就不再告訴他占筮的結果。適宜正固。

就《蒙》卦卦辭來看，此句的「我」具有雙重身份，既是指「教師」，又是指「卜筮者」，而「童蒙」既是指「蒙昧而待受教者」，又可指「問卜之人」。因此，《蒙》卦的卦辭表示兩層意義，第一層意義是說：蒙昧而待受教者應該主動求教於教師，而非教師主動求蒙昧者受教於我；第二層意義是說：求問者應當主動求問於占卜者，而非占卜者主動求問占卜者。這二層意義，都是說明主動與被動之間的關係，亦即闇者求於明，而非明者主動於求闇者，此即《蒙》卦的基本意蘊。

再者，就第二層意義而言，《蒙》卦亦揭示了求問者

---

1 〔宋〕朱熹：《周易本義》，頁 49。

應當對占卜的結果，持何種態度。《蒙》卦卦辭指出，求問者心中有疑惑，遂請教於占卜者，故占卜者進行一次卜筮後，遂可告知其結果為何，但若求問者對結果不滿，反覆對同一問題繼續卜問，這便是對卜筮活動本身的褻瀆，於是卜筮者就不用再回答，[2]此即「一事不二占」的卜筮原則。若是針對一件事情重複卜問，結果不合己意就反覆占卜，則卜筮的意義將蕩然無存。卜筮活動是為了解決人類的疑惑而存在，其儀式進行乃是藉由向超越而神祕的力量進行詢問的涵義。因此，在進行卜筮時若不尊重此原則，是對卜筮儀式及此超越力量的褻瀆。

再就第一層而言，《易》學在發展過程中，對於《蒙》卦的詮釋逐漸附加了教育思想的意義。因此我們在探討《易》學與教育論之間的關係時，《蒙》卦是一個最適切的討論對象。「蒙」字有無知之意，指處於蒙昧無知狀態的人，這也容易讓人聯想到「待受教育者」，而「匪我求童蒙」的「我」就成為「老師」的角色。唐代孔穎達（574-648）主編的《周易正義》中對於《蒙》卦之詮釋為：

> 匪我師德之高明，往求童蒙之闇，但闇者求明，明者不諮於闇，故云童蒙求我也。……童蒙既來求我，我當以初始一理，剖決告之。……師若遲疑不定，或再或三，是褻瀆，瀆則不告。童蒙來問，本為決疑，師若以廣深二義、再三之言告之，則童蒙聞之，

2 高亨、趙建偉等人即持此說，可參考。見高亨：《周易古經今注》（臺北：武陵出版社，1983 年），頁 18、趙建偉：《出土簡帛《周易》疏證》（臺北：萬卷樓，2001 年 1 月），頁 15。

> 轉亦瀆亂，故不如不告也。[3]
>
> 譯：不是以我教師德行的高明，去求蒙昧的學童向我學習，而是蒙昧的學童來求教於高明的教師，高明者不向蒙昧的諮詢，因此才說「是蒙昧的學童來求教於我」。……蒙昧的學童既然來求教於我，我應當以一開始的道理，分析剖判而教他。……教師若遲疑不決，或者任由蒙昧的學童求教二次或三次，則是褻瀆，褻瀆的話就不教他。蒙昧的學童來求問，本來是為了解決疑惑，教師若以又博又深的方式，反覆的教導他，那麼蒙昧的學童聽了之後，更加褻瀆混亂，因此不如不要教導他。

就孔穎達這段解釋來看，若以智識而言，老師爲明，學生爲闇，而孔穎達遂將此概念，用於解釋「初筮告，再三瀆，瀆則不告」一句，亦即此句被解釋爲老師需要直接了當地回答學生疑難，不可自己遲疑不定，無視學生的接受度，反覆以又博又深的道理，來進行說解，如此將使學生更加混亂，無法達到學習效果，不如不答。此外，此處尚有一引申之概念存在：若求教者本身沒有認真求學之心，只想詢問別人而不願自己思考，一而再再而三反覆問同樣的問題，那麼這種人就是在褻瀆教育，儘可不用教他。例如日本儒者伊藤東涯（1670-1736）即從《蒙》卦中看到此道理：

> 蓋人之於教，其志既至，而復有其誠，則可告之以善道，而望其啟發。若其或不待憤悱，而徒致煩瀆，

3 〔魏〕王弼注；〔晉〕韓康伯注；〔唐〕孔穎達等正義：《周易正義》，頁 23。

則外失於人，內失於言，祇取辱耳，何益於事？[4]

譯：對於求教的人而言，既然有求知的意志，又有求知的誠意，那麼就可以教導他良善的道理，而企求他有所啟發。假如求知的人，沒有那種不知而想求知的意志，教他就只會徒勞無功而招致煩亂褻瀆，那麼對他人而言就是失人，對自己而言就是失言，只會自取其辱而已，對事情又有何助益呢？

綜合孔穎達與伊藤東涯的解釋，此二人對於《蒙》卦的解釋，正好構成了對老師與學生之間的雙向要求，亦即前者主張爲人師者要明快地解決學生的疑惑，不可以博深的道理反覆的惑亂學生，而後者主張處於蒙昧無知狀態的學生，本身也應有求知的意志與誠意，以此求教於人，如此方能達成有效的教育活動。

二、神道設教的思想

《易傳》中尚有「神道設教」的觀念，此即出於《觀》卦〈彖傳〉：

《觀》：盥而不薦，有孚顒若。

譯：《觀》卦：灌祭（指以酒灑地）後還沒獻祭牲品，而心中的誠信已經盛大的展現出來。

〈彖〉曰：大觀在上，順而巽，中正以觀天下。「《觀》，盥而不薦，有孚顒若」，下觀而化也。觀天之神道，

4 伊藤東涯：《周易經翼通解》，收入《漢文大系》（臺北：新文豐，1978 年），第 16 冊，卷二，頁 6。

而四時不忒；聖人以神道設教，而天下服矣！[5]

譯：〈彖傳〉說：偉大的《觀》卦（指九五爻）在上位，柔順而行，能夠居中守正來觀覽天下的百姓，這就是《觀》卦的意涵。「灌祭後還沒獻祭牲品，而心中的誠信已經盛大的展現出來」，是指下面的百姓在觀禮時，也因而受到禮樂的教化了。觀察天地神妙的法則，就知道四季運行的變化而無偏差。聖人根據神明之道，來設立教化治理天下，使天下人順從。

《觀》卦〈彖傳〉在此提出了「神道設教」的概念，所謂的「神道」，最原始的概念是指「神明之道」，亦即神祇之道，「設教」指的是設立教化。在《觀》卦的卦辭之中，只提到了祭祀的過程，在灌祭之後，尚未獻祭牲品之前，亦即祭禮尚未完全結束之前，就已經可以感受到盛大的誠意了。

然而，〈彖傳〉則針對《觀》卦所提及的祭禮，進而延伸出「神道設教」的概念，亦即〈彖傳〉認爲祭禮的進行，是聖人基於「神道設教」而設立的。換言之，祭祀之類的禮節，其背後是否真有神祇，〈彖傳〉認爲這非焦點所在，其真正的意義在於透過祭祀時對神祇的尊敬，而建立起一套儀節，而執政者透過對此種儀節的施行與尊敬，藉此讓統治之下的人民觀覽並且效法施行，如此則可達成上行下效、風行草偃，以及民德歸厚的優點。

因此，「神道」中的「神明之道」，究竟有何神明之

---

5 〔宋〕朱熹：《周易本義》，頁 98。

處，〈彖傳〉的立場是存而不論的。然而，〈彖傳〉更重視的是：聖人藉由此種「神明之道」而設立種種祭祀之禮，並透過此種祭祀之禮的施行操演，以及在施行過程中所展現出的誠意，使百姓們可以知道執政者對於天神的尊敬，無形之間讓人民也感染到此種誠意，轉而對執政者亦持有相同的尊敬，遂而達到一種潛移默化的效果，此種潛移默化，就是一種聖人「神道設教」的「教」。

總而言之，此處的「教」，不是指「知識之教」，亦不是「成德之教」，而是教化百姓的教。誠然，教化百姓所執以爲教的內容，亦不外乎上述「知識之教」與「成德之教」二種。然而〈彖傳〉思考的焦點是：以執政者的角度出發，如果要讓人民更易於治理，其最好的方式莫過於「神道設教」。此乃由於神明之道，人人知之，人人畏之，執政者以此之理，設立種種祭祀，並透過實際之施行與操演，既能表現自己的真誠與尊敬，使人民感受自己之真誠，一方面亦可藉由此神明之道，深化並鞏固自己與人民在情感上的連繫，而另一方面，又可藉此強化統治者在政治地位上的合法性，使教化能夠從上至下，易於推行。

三、「推天道以明人事」的易教思想

古人著書立言，其目的在於說明並陳述自己的主張，此種主張亦是一種教。《周易》經傳亦是如此，亦即《周易》一書，全書皆是聖人立教之用。因此《禮記．經解》說：

> 孔子曰：「入其國，其教可知也。其為人也，溫柔敦厚，《詩》教也；疏通知遠，《書》教也；廣博

易良，《樂》教也；絜靜精微，《易》教也；恭儉莊敬，《禮》教也；屬辭比事，《春秋》教也。故《詩》之失，愚；《書》之失，誣；《樂》之失，奢；《易》之失，賊；《禮》之失，煩；《春秋》之失，亂。其為人也：溫柔敦厚而不愚，則深於《詩》者也；疏通知遠而不誣，則深於《書》者也；廣博易良而不奢，則深於《樂》者也；絜靜精微而不賊，則深於《易》者也；恭儉莊敬而不煩，則深於《禮》者也；屬辭比事而不亂，則深於《春秋》者也。」[6]

譯：孔子說：「進入這個國家，就可以知道這國家的教化為何。如果這裡的人是溫柔良善敦厚篤實，就是施行《詩》教的結果；如果是通達事理並了解古代的歷史，就是施行《書》教的結果；如果是知識廣博而平易善良，就是施行《樂》教的結果；如果是簡潔幽靜而又精深入微，就是施行《易》教的結果；如果是謙恭儉樸而莊重肅穆，就是施行《禮》教的結果；如果是善於辭令和分析問題，就是施行《春秋》教化的結果。《詩》教的缺失是讓人過於質樸，《書》教的缺失是讓人過於篤實，《樂》教的缺失是讓人過於奢侈，《易》教的缺失是讓人過於忖度，《禮》教的缺失是讓人過於繁瑣，《春秋》教的缺失是讓人過於言辭紛亂。一個國家的人民如果既溫柔敦厚而又不過於質樸，那是深得《詩》教的道理；如果既通達事理熟知古事而又不過於篤

6 〔漢〕鄭玄注；〔唐〕孔穎達等正義：《禮記正義》，頁 845。

實，就是深得《書》教的道理；如果知識廣博平易良善而又不過於奢侈，就是深得《樂》教的道理；如果簡潔幽靜精深入微又不過於忖度，就是深得《易》教的道理；如果謙恭儉樸而莊重肅穆而不過於繁瑣，就是深得《禮》教的道理；如果善於辭令和分析，而不過於言辭紛亂，就是深得《春秋》教的道理。」

就此段觀之，孔子認為六經皆可拿來教化民眾，使民眾達成某種特質，而《周易》則是教化民眾，使民眾培養出「絜靜精微」的特質。換言之，《周易》本身即為一本可以教化人民的書，其內容本身可以讓人民獲得「絜靜精微」的特質，廣義來說，《周易》本身就是一本古代的教科書。

由此觀點延伸，如果廣義的來看《周易》的教育性質，則《周易》經傳中所傳達出的「推天道以明人事」的核心概念，本身即是一種教育、教化的概念。此乃由於推演並熟悉天道奧秘的法則，可以運用在各層面，如統治管理、進德修業、趨吉避凶等等，都是一種廣義的教育、教化。

舉例而言，《周易》經傳中反覆陳述執政者應當教化民眾的觀念，如《蠱》〈大象傳〉：

山下有風，《蠱》。君子以振民育德。[7]

譯：山下有風，這就是《蠱》卦。君子由此領悟要振起人民培育道德。

又如《觀》〈大象傳〉：

---

7 〔宋〕朱熹：《周易本義》，頁93。

> **風行地上，《觀》。先王以省方觀民設教。**[8]
>
> **譯：風在上吹行，這就是《觀》卦。古代帝王由此領悟要巡視四方觀察民情，藉此設立教化。**

〈大象傳〉「推天道以明人事」的概念相當濃厚，而〈大象傳〉此種「觀象法行」的思維，即是廣義的教育、教化，亦即表達統治者或在上位者，要如何教育、教化百姓。以此為例，上述的「振民育德」，即為對人民施行教化，培育整體的德行，而「省方觀民設教」，指的是就是親自觀察民情，據此制定教化政策，而這些都與廣義的教育、教化有關。

再者，〈繫辭傳下〉第二章論及卦象的起源，即《離》、《益》、《噬嗑》、《乾》、《坤》、《渙》、《隨》、《豫》、《小過》、《睽》、《大壯》、《大過》、《夬》十三卦，都是用來說明「觀象制器」的觀念。以廣義的教育而言，這些觀象制器的陳述，皆說明聖人教育、教化百姓的重要概念，亦即說明了聖人欲使人類從荒野無知的野蠻狀態，透過教育、教化，使其進化到禮樂文明，例如此處〈繫辭傳〉中所提及「包犧氏沒，神農氏作，斲木為耜，揉木為耒，耒耨之利，以教天下，蓋取諸《益》」中，所提及的「教」，即是最好的例證。文中所提及的這些「象」、「器」，皆蘊含著聖人將荒野無知的人類，企圖教化之使其進入禮樂文明之國度，使其成為文質彬彬之人民的深刻用意。如此觀之，《周易》經傳對於教育、教化，用意極為深遠。

8 〔宋〕朱熹：《周易本義》，頁 98。

此外，所謂廣義的教育、教化，其實亦可說是一種「德治」教育、教化。透過上述的文獻梳理，即可知曉：對於以個人教育爲目標的教育思想，係出現於後世對《蒙》卦的詮釋中。但是著眼於群眾教育的德治思想，在《易傳》中即已被強調，顯然其被意識到的時間較早。這也符合人類發展的歷史現象：專門性的、以個人爲對象的教育資源，最早是掌握在國家的上層階級手中，庶民較不可能擁有知識。以中國爲例，東周時固有的政治體制崩壞，傳統制度下的官員與貴族流落民間，進行知識的傳遞，才使得庶民階級可以成爲知識份子。[9]又例如日本儒學，在十七世紀以後方才普及到一般庶民之間，在此之前只有專門從事儒學傳授的貴族學官以及掌握中國經典文獻的僧侶等階級才擁有相關資源。因此對於教育的後設性思考中，以群體性的人民教化爲對象的理論會比較早出現，是很合理的。

誠然，不管是個人教育還是群體教育，其內容都有相當的成分是屬於外在客觀知識，未涉及價值判斷的。但若是將重點放在「社會化」這個目標來看，其根本的基礎仍然還是道德。可以說道德之所以會被重視，是因爲其中顯現出群體生存與發展的最佳策略。這種基調在古代探討群眾教育時就已經被決定了，乃至後世藉由《蒙》卦來探討個人教育時，仍以尋求恰當道德規範爲終極目標。

9 關於這方面的歷史背景探討，可參余英時：《中國知識階層史論 ── 古代篇》（臺北：聯經，1980 年）。同時必須要知道的是：利用《周易》進行卜筮的相關知識，原本也是屬於中央官員所擁有，與一般庶民無關的。

88 從《易經》談人類發展學

第六章　法律與戰爭〈訟、師〉

本章將法律與戰爭合併爲一個主題，而論述時則以分論方式個別探討之。

法律緒論

法律是社會群體對於秩序的共識，當人類群體發展到一定程度的規模，便需要制定法律來使社會共識具體化，並賦予政府強制性的力量來維持秩序，對個體進行保障與限制。保障與限制實乃一體兩面，貫串彼此的是對於「義務」的要求。在法律面前，個人與政府均被賦予義務。若是沒有法律，乃至於毫無任何義務，則社會將處於英國哲學家霍布斯（Thomas Hobbes, 1588-1679）所說的「自然狀態」（state of nature）。然而，自然狀態對所有人而言是不利的：

> 因能力之相等，故其對一目的之到達，其希望亦等。因此，設有二人欲得一物，而不能同時得之，則彼此必成仇敵；而未達其安享之目的，則彼此皆謀相傷相制之術。故人在人群中而佔有一有利之地位，則他人且將聯合以攻而去之，甚且不惟奪其所有，而更奪其生命自由焉。然繼之而得此者，其危亦同。

[1]

就此而言，法律對人類施加義務，在限制行爲的同時也保障了權益，避免自然狀態。如此，在人與人之間發生爭執、衝突時，便有一套訴訟與刑罰的機制，不致全憑暴力解決。誠然，最有約束效力的義務是來自於道德，道德帶來的義務感遠比法律更能使人類真心接受。但就群體而言，不可能期待所有人均具有同樣高度的道德情操，因此法律仍然是維繫群體的最主要手段。《論語‧子路》中所說的「名不正，則言不順；言不順，則事不成；事不成，則禮樂不興；禮樂不興，則刑罰不中；刑罰不中，則民無所措手足」[2]（譯：名位不正，則所說的話就不能讓人服從；說的話就不能讓人服從，則不能讓事情完成；不能讓事情

1 霍布斯著，朱敏章譯：《利維坦》（*Leviathan*）（臺北：臺灣商務印書館，2002 年 9 月），頁 58。除了霍布斯之外，也有人嘗試建構不同於霍布斯的自然狀態設定。但是基本上都無法免除於戰爭狀態，也就是說「人們不需要國家法律約束也可以擁有一個和平穩定的社會」這個命題是無法成立的。可參考喬納森‧華夫（Jonathan Wolff）著，龔人譯：《政治哲學緒論》（*An Introduction to Political Philosophy*）（香港：牛津大學出版社，2002 年），第一章〈自然狀態〉。

2 〔宋〕朱熹：《四書章句集注》（臺北：鵝湖出版社，2005 年 11 月），頁 142。另外講到中國思想與法治之間的關係，一般都會想到法家。事實上在此之前，墨家即已重視法律之功能。《墨子‧尚同上》說：「古者民始生，未有刑政之時，蓋其語『人異義』。是以一人則一義，二人則二義，十人則十義，其人茲眾，其所謂義者亦茲眾。是以人是其義，以非人之義，故交相非也。是以內者父子兄弟作怨惡，離散不能相和合。天下之百姓，皆以水火毒藥相虧害，至有餘力不能以相勞，腐朽餘財不以相分，隱慝良道不以相教，天下之亂，若禽獸然。夫明虖天下之所以亂者，生於無政長。是故選天下之賢可者，立以爲天子……察國之所以治者何也？國君唯能壹同國之義，是以國治也。」據〔清〕孫詒讓編，小柳司氣太校訂：《墨子閒詁》（臺北：鶩聲文物供應公司，1970 年 8 月），卷 3，頁 1。

完成，則禮樂教化之事無法施行；禮樂教化之事無法施行，則不能讓刑罰適當；不能讓刑罰適當，則人民將手足無措，不知如何是好。）正可顯示出，法律公平貫徹與否是人民秩序得以穩定的最直接要素。[3]

《周易》經傳中不僅反映了古代的社會情境，同時也涉及了此一層面。大致而言，可分為「《周易》經傳中有關法律的相關記錄」與「推天道以明人事的法律觀」兩種。

一、《周易》經傳中有關法律的相關記錄

《周易》經傳中有關法律的記錄，大致可分為「訴訟相關」與「刑罰相關」兩大類，而前者又主要見於《訟》卦之中，其卦辭與六爻爻辭如下：

> 《訟》：有孚窒，惕，中吉，終凶。利見大人，不利涉大川。
>
> 譯：雖有誠信，但已窒塞，需要警惕，中間吉祥，但最後有凶禍。適宜見到大人，不適宜渡越大河。
>
> 初六：不永所事，小有言，終吉。
>
> 譯：初六：訴訟未結束前先停止，雖有小的責難，但最後吉祥。
>
> 九二：不克訟，歸而逋，其邑人三百戶，无眚。
>
> 譯：九二：訴訟不成功，回來躲避，采邑的三百戶

3 張麗珠亦據此認為主張德治的儒家也並未否定刑罰之重要。見張麗珠：《中國哲學史三十講》（臺北：里仁書局，2007 年 8 月），頁 30-31。

人口沒有災害。

六三，食舊德，貞，厲終吉。或從王事，无成。
譯：六三：享用先人遺留的餘蔭，守住正固，有危險，最後吉祥。或可跟隨君王做事，沒有成就。

九四：不克訟，復即命，渝，安貞，吉。
譯：九四：訴訟沒有成功，自我反省而改過，安於正固，吉祥。

九五：訟，元吉。
譯：九五：訴訟，大吉。

上九：或錫之鞶帶，終朝三褫之。[4]
譯：上九爻：因爭訟而獲得官服，但是一天之內，被奪回三次。

就《訟》卦而言，卦辭提到「有孚窒，惕」，則是說明了訴訟的起因在於彼此的誠信有所窒礙，因而無法彼此信任對方，於是有爭訟的行爲出現。初六爻則是在一開始，就先停止訴訟，因此雖然小有責難，但最終而言是吉的。九二爻則是訴訟不能成功，但能夠回到家裡隱居自守，自以卑約之道處之，因此能沒有災害。六三爻能夠以陰柔之道事之，非主動求爭訟者，而且能夠守舊德行正道，因此雖然有危險但最終是吉的。九四爻是指訴訟不能成功，但

4 〔宋〕朱熹：《周易本義》，頁 56-58。

能夠自我反省，安於正道，因此是吉的。九五爻是聽訟之主（亦即法官之類），斷兩造是非之主，但能夠居中行正，故能大吉。上九爻則是以訴訟方式，獲得官位，但其本身名望德位皆不足以居之，因此一天之內接連三次被奪回。從以上卦爻辭觀之，皆是圍繞訴訟有關的記錄。

至於刑罰方面，例如《噬嗑》卦卦、爻辭即是：

《噬嗑》：亨，利用獄。

譯：《噬嗑》卦，通達，適宜判案斷獄。

初九：屨校滅趾，无咎。

譯：初九：銬上腳鐐，遮住腳趾，沒有災難。

六二：噬膚，滅鼻，无咎。

譯：九二：噬咬肥肉而使鼻子陷入肉中，沒有災難。

六三：噬腊肉，遇毒。小吝，无咎。

譯：噬咬臘肉，遇到有毒的部分。有微小的困難，但沒有災害。

九四：噬乾胏，得金矢，利艱貞，吉。

譯：噬咬骨頭上的乾肉，獲得金箭矢。適宜在艱難中正固，吉祥。

六五：噬乾肉，得黃金。貞厲，无咎。

譯：六五：噬咬乾肉，獲得黃金。正固有危險，但沒有災難。

上九：何校滅耳，凶。[5]

譯：上九：肩膀扛著枷鎖，而遮住耳朵，有凶禍。

就《噬嗑》卦卦辭而言，「利用獄」意指適宜判案斷獄，所謂的獄並不是單指牢獄之獄，尚包含廣義的刑罰。其次，由六爻爻辭觀之，除中間四爻爻辭乃是扣緊「噬嗑」的「噬」字作發揮之外，初九爻與上九爻則是扣緊「利用獄」發揮，一則提及「屨校滅趾」，一則提及「何校滅耳」，前者爲腳鐐，後者爲枷鎖，兩者皆爲刑器，皆與刑罰有關，可見《噬嗑》卦與刑罰有關。

另外，各卦之中或有一、二爻爻辭，亦有提及刑罰者，如《蒙》卦初六爻：

初六：發蒙，利用刑人，用說桎梏，以往，吝。[6]

譯：初六爻：啟發蒙昧，適宜用刑罰來規範人們，藉此讓他們擺脫桎梏。依此前往，會陷入困難。

此處所謂的「桎梏」，即與刑罰有關。凡此之屬，不勝枚舉。

二、推天道以明人事：作事謀始、明威並重、議獄緩死

《周易》經傳中的法律記錄，雖可作爲考察古代的史料，然而，這些材料的最大意義，還在於「推天道以明人事的法律觀」。所謂「推天道以明人事的法律觀」，在《周

5 〔宋〕朱熹：《周易本義》，頁 101-103。
6 〔宋〕朱熹：《周易本義》，頁 50。

易》經傳中大致表現在幾個層面上：

第一，訴訟方面而言，《訟》卦的〈大象傳〉認為，為了避免訴訟爭端，最好的方式是在一開始就要謹慎：

〈象〉曰：天與水違行，《訟》。君子以作事謀始。[7]

譯：〈大象傳〉說：天與水的運行方向相違，這就是《訟》卦。君子由此領悟做事要在開始前謹慎謀畫。

「作事謀始」說的就是在一開始前要謹慎謀畫，如此才能降低以後的紛爭，亦無須因後來的紛爭而導致對簿公堂。再者，訴訟非常道，能避之當即早避之，故《訟》卦初六爻所謂的「不永所事」，之所以能夠終吉，就在於撤訴極早，避之極速，故能免於爭訟時所耗的心力及費用，且能夠讓兩造雙方不至於破局。復次，即使爭訟贏人，亦不能使人心服，故上九爻辭的〈小象〉說：

以訟受服，亦不足敬也。[8]

譯：用爭訟手段而獲得官服，也不值得尊敬。

此處的〈小象傳〉，雖然講的是以爭訟的手段贏得官服，而不能受人尊敬，然而引而伸之，其背後的涵意不在於以爭訟手段獲得何種權利，而在於以爭訟的手段贏人，終究只能服人之口而不能服人之心，因此訴訟能避則避，能免則免，至於興訟不如不訟，訟之不如及早撤之。

第二，就統治者的角度來看，法律應當徹底的實行，並兼顧「明」與「威」。從《易傳》觀察，首先要注意的是《易傳》作者認為法律必須要貫徹執行。例如《噬嗑》卦〈大象傳〉：

---

7 〔宋〕朱熹：《周易本義》，頁57。
8 〔宋〕朱熹：《周易本義》，頁58。

雷電，《噬嗑》。先王以明罰敕法。[9]

譯：打雷與閃電交織在一起，這就是《噬嗑》卦。古代帝王由此領悟要辨明刑罰，嚴敕法律的道理。

又如《豐》卦〈大象傳〉：

雷電皆至，《豐》。君子以折獄致刑。[10]

譯：打雷閃電一起到來，這就是《豐》卦。君子由此領悟要判決訴訟，執行刑罰的道理。

此二卦的〈大象傳〉都說明統治者在政治上享有權威，也有執行法律的權力。而法律一旦形成，其本身亦有不容侵犯的威嚴。以政治哲學術語來說，法律的執行必須要做到「程序正義」，確保每一個環節都依法落實以達致公平。〈大象傳〉作者在《噬嗑》卦與《豐》卦處如此詮釋，是利用兩卦的引申義。《噬嗑》卦下爲《震》上爲《離》，《豐》卦下爲《離》上爲《震》，兩卦在結構上彼此相近，爲上下卦互換之卦。〈大象傳〉以「火」作爲《離》卦的象徵物，以「雷」象徵《震》卦，而分別引申出「光明」與「變動」兩個意義。而在此處，則是使用「雷」的另一個引申含意 —— 「威嚴」，事實上這也是古早先民體驗到大自然中打雷現象的感想。[11]《豐》卦的「折獄致刑」，意爲審判案件、執行處罰，與《噬嗑》卦的「明罰敕法」意義相近。宋代程頤（1033-1107）在詮釋《噬嗑》卦的〈大

9 〔宋〕朱熹：《周易本義》，頁 101。

10 〔宋〕朱熹：《周易本義》，頁 204。

11 「雷」在日文中唸做「kaminari」，如果使用漢字訓讀，亦可寫作「神鳴り」，也就是「神的怒吼」。這透露了關於日本先民對於雷聲感想的線索。對於「雷」與「威嚴」之間的聯繫，或許可說是一個跨文化的共通現象。

象傳〉文字時說「先王觀雷電之象，法其明與威，以明其刑罰，飭其法令」[12]（譯：古代的先王觀察雷電的現象，效法其明亮與威嚇，明白的讓人民知道刑罰，並嚴飭法令），而詮釋《豐》卦〈大象傳〉文字時說「折獄者，必照其情實，惟明克允，致刑者以威，於奸惡唯斷乃成」[13]（譯：判案斷獄的人，必須查照內在的情實爲何，需求明白而後方能允當，讓受刑人受到刑罰的威懲，對於奸惡之徒只有用斷獄的方式才能讓他受服）明確地闡述了從「明」與「威」的意象，聯想到法律必須先「明確的」公布讓人有所遵循，以及判案先求實情，並務求「明明白白」，而後依據實際狀況來徹底執行的觀點，讓犯罪者受刑罰之「威懲」，如此刑罰方能有警惕的威嚇作用。另外《蒙》卦初六爻的〈小象傳〉，說「『利用刑人』，以正法也」（譯：「適宜利用刑罰來規範人」，是爲了端正法紀），在轉化了原本爻辭意義之後，其要旨在於表達法律須公正執行的想法，也與上述之法律觀相呼應。

第三，對於刑罰必須謹慎判決，尤其是死刑。《易傳》認爲法律本身並不是作爲最高的目的，而是因其背後的精神而存在。此乃因爲法律是群體中解決紛爭的手段之一，但縱然以此裁決做出衡量，敗訴者也未必心悅誠服真心悔改，亦有可能只是迫於對法律義務之服從而已。因此，單純以法律控制人民，終究不能達到教化的效果。《論語．

12 〔宋〕程頤：《易程傳》（臺北：文津出版社，1990 年 10 月），卷 3，頁 189。

13 〔宋〕程頤：《易程傳》，卷 6，頁 495。

爲政》所說的「道之以政，齊之以刑，民免而無恥」[14]（譯：用政治來導正人民，用刑罰來讓人民遵守規定，雖然能免於犯罪，但內心卻不是真的有知恥的心）就是這個道理。此外，統治者對於刑罰的使用要相當謹慎，尤其是死刑。例如《旅》卦〈大象傳〉：

> 山上有火，《旅》。君子以明慎用刑，而不留獄。[15]
> 譯：山上有火，這就是《旅》卦。君子由此領悟要明智而謹慎的施用刑罰，而且不滯留案件。

又如（《中孚》卦〈大象傳〉：

> 澤上有風，《中孚》。君子以議獄緩死。[16]
> 譯：澤上有風，這就是《中孚》卦。君子由此領悟要慎重的議論訴訟案件，對於死刑的判決要非常謹慎緩慢。

《旅》卦的〈大象傳〉說明統治者下達判決時，須謹慎爲之，在完整明瞭事情全貌前不輕易下判決，以免造就冤獄，使人民被迫留滯獄中。《中孚》卦的〈大象傳〉則主張，死刑乃剝奪生命的作爲，不應輕易使用，若有寬容之空間，則避免判處極刑，甚至對於死刑的判決，必須非常謹慎，否則一旦誤殺就無法挽回了。

第四，爲政者當先務於政治，而刑罰只是輔助的手段。在上述《旅》卦與《豐》卦所提及的兩點，事實上也可以說是一種對統治者「憐憫心」的要求。從此「憐憫心」出

14 〔宋〕朱熹：《四書章句集注》（臺北：大安出版社，1996 年），頁 70。

15 〔宋〕朱熹：《周易本義》，頁 207。

16 〔宋〕朱熹：《周易本義》，頁 220。

發，人民是有待被教化、被引導的對象，而不是必須時時刻刻監視、處罰的被控制者。因此法律縱然有維持社會秩序的功能，但相較之下，施行良好的政策才是真正的爲政之道。因此，《賁》卦〈大象傳〉說：

> **山下有火，《賁》。君子以明庶政，无敢折獄。**[17]
>
> **譯：山下有火，這就是《賁》卦。君子由此領悟查明各項政務，而不任意判決訴訟。**

再者，《豫》卦〈彖傳〉說：

> **聖人以順動，則刑罰清而民服。**[18]
>
> **譯：聖人順著時勢而行動，就會做到刑罰清明而百姓順從。**

所謂的「明庶政」，所謂的「刑罰清」，都是主張統治者應先致力於施政，而非輕易地選擇以法律來控制人民。爲政者應當順應時勢，體察民情，以達到法律條文不是作爲控制威嚇人民的手段，而是使人民自發性地不會違背，才是最高境界。如《老子·第五十七章》說「法令滋彰，盜賊多有」[19]（譯：法令條文滋衍越繁，盜賊就會越來越多），也可視爲這種想法的呼應。

透過《易傳》的思想，應當肯定的是：法律確實是社會群體發展過程之所需。然而就整套社會運作機制而言，必須以教化、引導爲本，控制、刑罰乃不得已之手段。當代法律哲學家哈特（H. L. A. Hart, 1907-1992）曾經指出：

---

17 〔宋〕朱熹：《周易本義》，頁 105。

18 〔宋〕朱熹：《周易本義》，頁 87。

19 據〔魏〕王弼：《老子注》，收入《老子四種》（臺北：大安出版社，2006 年），頁 49。

> 與個別之面對面的命令（例如：正在執行交通勤務的警察之類的官員，可能下達給機車騎士的命令）相較，刑法此項技術的獨特之處在於，它讓社會成員去發現規則，並且在行為上遵從這些規則；雖然規則所附加的制裁提供了他們一個遵從的動機，但是就這個意義來講，社會成員是自己「適用」規則於自身。很明顯地，如果我們專注於要求法院對違法情形施加制裁的規則，或將此作為主要的考量，則我們將會隱匿了這種規則獨特的運作方式；因為要求法院施加制裁的規則，是為這個體系的主要目的受挫或失敗時所做的準備。這些規則的確是不可或缺的，但它們只是作為輔助之用。[20]

刑罰只是一種輔助，而政府真正的任務在於引導人民自發性地讓自己打從心底接受這些規則。事實上這才是一種最大最有效的約束，這種關於法律的概念是值得人類深思的。

戰爭緒論

〈序卦傳〉說：

> 需者飲食之道也。飲食必有訟，故受之以《訟》。訟必有眾起，故受之以《師》。[21]
>
> 譯：《需》卦是有關飲食的道理。飲食必然會產生

20 哈特著，許家馨、李冠宜譯：《法律的概念》（*The Concept of Law*）（臺北：商周出版，2004 年），頁 54。

21 〔宋〕朱熹：《周易本義》，頁 274。

爭訟，因此以《訟》卦接續。有爭訟必然引起眾人的爭執，因此以《師》卦接續。

〈序卦傳〉的作者藉由一套關於世界與人類發展歷程的說法，按照順序串起各卦的卦義。這一段似乎也暗示了歷史上許多戰爭的起因，即在於資源爭奪，而前述提到的自然狀態於焉成形：社群推行的法律約束了社群內部的成員，而再往上，沒有一套秩序約束社群彼此時，就不可避免進入以戰爭決定爭執結果的狀態。人類現代的國家疆域（有形的地圖疆界以及無形的文化殖民）形成過程，總是伴隨著一場又一場的戰爭，以及群體生命的消失。

《周易》經傳記錄了不少有關戰爭相關資料，其中更重要的是以推天道以明人事的思想來發揮對戰爭的觀點，以下就這兩點加以說明。

一、《周易》經傳中有關戰爭的相關記錄

在《周易》卦爻辭中可看到不少跟戰爭相關的占卜紀錄，如《師》卦卦爻辭即是：

《師》：貞，丈人吉，无咎。

譯：《師》卦：正固。有威望的長者吉祥，沒有災難。

初六：師出以律，否臧，凶。

譯：初六：軍隊出動要按照軍令，不按照的，將有凶禍。

九二：在師中，吉，无咎，王三錫命。

譯：九二爻：率領軍隊而能守中，吉祥而沒有災難，君王三次賜命嘉獎。

六三：師或輿尸，凶。
譯：六三爻：軍隊或將載著屍體回來，有凶禍。

六四：師左次，无咎。
譯：六四爻：軍隊後退駐紮，沒有災難。

六五：田有禽，利執言，无咎。長子帥師，弟子輿尸，貞凶。
譯：六五爻：田裡有禽獸，適宜訊問，沒有災難。當由長子率領軍隊，如果是弟子將會載屍而歸，正固卻有凶禍。

上六：大君有命，開國承家，小人勿用。[22]
譯：上六爻：天子頒賜爵位，封諸侯者可以開國，封大夫者可以承繼家業，不可以任用無位之。

就《師》卦卦爻辭觀之，卦辭所謂的「丈人吉」，意指若由有德望威嚴的長者率領軍隊，則是吉祥的。初六爻則是說明軍隊要按律以行，如果不按律以行，將會凶禍。九二爻則是說明率領軍隊的人要居中守正，方能吉祥無凶禍。六三爻說明軍隊作戰失利，因而載屍而歸。六四爻說

22 〔宋〕朱熹：《周易本義》，頁 59-62。

明軍隊退後駐紮，指作戰失利或撤退。六五爻則是說明如果由長子（嫡長子）率領軍隊，有其合法地位，若由次子率領軍隊，將會作戰失利載屍而歸。上六爻則是說明戰爭結束勝利之後，所進行的賞罰之事，功大者封爲諸侯使其可以開國，次者封爲大夫可以承家。凡此六爻，皆與戰爭攻伐之事有關。

其它如《謙》卦：

六五：不富以其鄰，利用侵伐，无不利。[23]

譯：六五爻：不靠財富就能得到鄰居的支持，適宜征伐，沒有不利。

《謙》卦六五爻提及獲得民心支持，對於征伐是有利的。此外，又如上六爻：

上六：鳴謙，利用行師，征邑國。[24]

譯：上六爻：謙卑而得到響應，適宜派遣軍隊，討伐從邑小國。

上六爻提及因爲謙卑而獲得眾人支持，因此適宜出兵征伐。

又如《豫》卦卦辭：

《豫》：利建侯、行師。[25]

譯：《豫》卦，適宜建立侯國，遣軍出征。

此卦卦辭以爲占者得此卦，宜於建立侯國，遣軍作戰。

又如《復》卦：

上六：迷復，凶。有災眚。用行師，終有大敗；以

23 〔宋〕朱熹：《周易本義》，頁 86。
24 〔宋〕朱熹：《周易本義》，頁 86。
25 〔宋〕朱熹：《周易本義》，頁 86。

其國君凶，至于十年不克征。[26]

譯：上六：在迷惘中返回，有凶禍。出現災難。發動戰爭，最後會大敗，對國君的凶禍最大，甚至十年內都不能再次用兵出征。

此爻因「迷復」未得及早歸返，執迷不悟而又因而發動戰爭，遂有大敗之凶禍。

又如《離》卦：

上九：王用出征，有嘉，折首，獲匪其醜，无咎。[27]

譯：上九：君王可以用兵征伐，會有功勞。斬了首領，俘虜不是一般隨從，沒有災難。

此爻言君王用兵征伐而有功勞，其所獲俘虜非一般隨從，而是重要人物。

又如《升》卦：

《升》：元亨。用見大人，勿恤。南征，吉。[28]

譯：《升》卦，最為通達，可以用來見大人，不必擔憂，往南前進（征伐），吉祥。

《升》卦卦辭言占得此卦之人，可以見到大人而獲得支持，往南征伐是吉的。

又如《既濟》卦：

九三：高宗伐鬼方，三年克之。小人勿用。[29]

譯：九三：殷高宗討伐鬼方，三年才征服。不可任用無位之人。

---

26 〔宋〕朱熹：《周易本義》，頁 112。
27 〔宋〕朱熹：《周易本義》，頁 129。
28 〔宋〕朱熹：《周易本義》，頁 175。
29 〔宋〕朱熹：《周易本義》，頁 228。

九三爻提及高宗討伐鬼方，用了三年的時間才完成。凡此以上卦爻辭，皆與戰爭、征伐有關。除上述《既濟》卦九三爻辭，以殷高宗討伐鬼方長達三年之歷史事件作爲象，來說明占卜結果，其他則是與戰爭順利與否有關的答案。戰爭原本就是國家需慎重對待之事，《左傳．成公十三年》提到「國之大事，在祀與戎」[30]（譯：國家最重要的大事，就在於祭祀與征伐二項），認爲祭祀與戰爭乃最重要者。著名的兵法書《孫子》在一開頭即說「兵者，國之大事，死生之地，存亡之道，不可不察也」[31]（譯：戰爭，是國家重要的大事，是生與死的關鍵，存續與滅亡的憑藉，不可以不留意），正因爲戰爭攸關個人與國家之存亡，因此在出兵前進行占卜以問吉凶就成爲一種重要儀式。事實上也可以說戰爭本身即是人類發展過程中的一種常態，戰爭可謂古已有之，今日不止，未來仍存。

二、推天道以明人事：師出以正

《易傳》產生於周王朝體制崩壞之時，而知識份子處於此一戰爭頻仍的時代，對於戰爭議題也開始有不一樣的思維角度。以《易傳》來說，《師》卦的〈彖傳〉與〈大象傳〉就値得關注：

> 〈彖〉曰：師，眾也；貞，正也。能以眾正，可以王矣。剛中而應，行險而順，以此毒天下而民從之，

---

30 〔晉〕杜預集解；〔唐〕孔穎達等正義：《春秋左傳正義》，頁460。
31 〔春秋〕孫子：《孫子》，（臺北：台灣古籍出版有限公司，2002年6月），頁4。

吉又何咎矣！

譯：〈彖傳〉說：《師》卦的師，是眾人的意思；貞，是正的意思。能夠率領眾人走上正路，就可以稱王天下了。剛強者居中並且上下相應，冒著險難而能順利前進，用這種作法就能使役天下，百姓也會跟隨著，結果是吉祥的又怎麼會有災難呢？

〈象〉曰：地中有水，《師》；君子以容民畜眾。[32]

譯：〈大象傳〉說：地裡有水，這就是《師》卦。君子由此領悟要容納百姓，蓄養眾人。

就〈彖傳〉的解釋而言，打仗需要龐大的軍隊，故「師」字被解釋爲「眾」。〈彖傳〉固定以「正」解釋卦辭中的「貞」字，在《師》卦亦不例外，而「正」指的是正當，此處是說能以正當之治理方式使國家富強、吸引眾人前來，則此統治者便有能力得到天下，亦即〈彖傳〉認爲在發動戰爭之前，必須先以正道治國，以政治將人民帶往正途，於是在此感召之下，如有外難強敵，或不可避免必須以戰爭解決時，人民才願意政府組織軍隊出師征伐，這就是〈彖傳〉「師出以正」的思維。至於《師》卦〈大象傳〉所說的「君子以容民蓄眾」，也與此呼應，亦即如果能夠在平時做好「容民蓄眾」，讓人民豐衣足食又能兵強馬壯的話，即使無可避免要發動戰爭，人民亦不會視爲君王趨自身以蹈死地。

在戰國時代，進行戰爭的終極目的是統一天下。然而戰爭畢竟是消耗資源的行爲，而且傷人傷己，如《老子．

32 〔宋〕朱熹：《周易本義》，頁 59-60。

第三十一章》說：

> 夫佳兵者，不祥之器，物或惡之，故有道者不處。君子居則貴左，用兵則貴右。兵者，不祥之器，非君子之器，不得已而用之，恬淡為上。勝而不美，而美之者，是樂殺人。夫樂殺人者，則不可以得志於天下矣。吉事尚左，凶事尚右。偏將軍居左，上將軍居右。言以喪禮處之。殺人之眾，以哀悲泣之，戰勝，以喪禮處之。[33]
>
> 譯：軍隊是不吉祥的東西，萬物都厭惡，因此有道之士是不用的。君子平時以左方為貴，戰時以右方為貴。軍隊是不吉祥的東西，不是君子所使用的，萬不得已而需要使用，也是以恬淡的心境來處理是最好的方式。勝利不當成美事，若當成美事的人，就是以殺人為樂。以殺人為樂的人，是絕不可能得志於天下的。吉禮是以左方為貴，喪禮是以右方為主。偏將軍處於左邊，上將軍處於右邊，就是以喪禮來看待戰事。殺人眾多，就揮淚哀悼，勝利之後也要像辦喪事一樣。

不論基於何種理由，戰爭的本質就是殺人，絕非值得鼓勵之事。因此也產生了配合統一天下之前提，而弭平戰爭的論述。上述《師》卦〈彖傳〉之外，相近的時代中，《孟子．梁惠王上》所說的「如有不嗜殺人者，則天下之民皆引領而望之矣。誠如是也，民歸之，猶水之就下，沛

33 《老子四種》，頁 27。

然誰能禦之」[34]（譯：如果有不嗜好殺人的君王，那麼天下的百姓都會伸長脖子而企望著他。如果是這樣的話，人民就會歸順他，就好像水往低下流，沒有人能夠抵擋得了），正是以「行仁政」的原則去論述國家理想的狀態，使人民願意前來投靠，自然而然成爲強國。對孟子來說，戰爭只有在討伐不義者時才是可以運用的手段。另外，墨家則採用投入戰爭，以戰止戰的方式來實踐其思想。在《墨子》中有諸多篇章皆記載守城之法以及相關之各種機械，反映了墨家以協防守備的方式期使戰爭停止。

人類的發展從來沒有離開過戰爭，也總是有掀起戰爭的理由，然而戰爭畢竟伴隨著人類自我毀滅的性質。《墨子・非攻下》所說的這一段，實值得深思：

> 今不嘗觀其說好攻伐之國？若使中興師，君子庶人也，必且數千，徒倍十萬，然後足以師而動矣。久者數歲，速者數月，是上不暇聽治，士不暇治其官府，農夫不暇稼穡，婦人不暇紡績織紝，則是國家失卒，而百姓易務也。然而又與其車馬之罷弊也，幔幕帷蓋，三軍之用，甲兵之備，五分而得其一，則猶為序疏矣。然而又與其散亡道路，道路遼遠，糧食不繼傺，食飲之時，廁役以此飢寒凍餒疾病，而轉死溝壑中者，不可勝計也。此其為不利於人也，天下之害厚矣。[35]
>
> 譯：現在何不試著看看那些喜歡攻伐的國家？假使國中出兵發動戰爭，君子身分的人數以百計，普通

34 〔宋〕朱熹：《四書章句集注》，頁 286。
35 〔清〕孫詒讓編，小柳司氣太校訂：《墨子閒詁》，卷五，頁 18-19。

> 人數以千計，負擔勞役的人數十萬計，然後才足以組織成軍出發征戰。戰爭時間久的數年，快的數月，這使在上位的人無暇聽政，官員無暇治理他的官府之事，農夫無暇耕種，婦女無暇紡織，那麼國家就會失去平常的法度，而百姓也要改業。然而，如果是那種兵車戰馬的損失，帳幕帷蓋、三軍的用度，以及兵甲的設備，還有五分之一的話，也只是約略的估計。然而，如果是那種士卒在道路上散亡，由於道路遙遠，糧食不繼與飲食不時，及廝役們因之輾轉死於溝壑中的，是多得不可勝數。像這樣不利於人、為害天下之處就夠嚴重了。

從這段話來看，墨子認爲戰爭所要犧牲的代價，是遠遠超過戰爭所帶來的利益的，因此戰爭不義而且不利。所謂的不義不利，即是不符合正道，唯墨子乃是從戰爭不義不利的角度出發，用以勸誡人君非攻，而與《師》卦〈彖傳〉「師出以正」的思維雖略有不同，此乃由於《師》卦〈彖傳〉乃是企圖從政治著手，先將人民帶往正途，以正道治國，若真無法避免戰爭，也需師出以正，以堂堂正正之師迎擊，如此就能無往不利。

第七章　政治與人類盛世〈泰、否〉

緒　論

人類發展至一定規模的群體組成，勢必出現政治活動，以期達成有效管理與群體利益極大化的目標。政治體制賦予個人或團體相當程度的權力，使其得以進行決策，並領導群體的發展。理想的統治者應具備理智、魅力（charisma）與仁慈，而這樣的領導者足以開創人類盛世。唐朝的唐太宗（598-649）與清朝的康熙皇帝（1654-1722）、古羅馬的凱薩（Gajus Julius Caesar, 100-44 B.C.）、屋大維（Octavius Augustus, 63 B.C.-A.D. 14）、法國的路易十四（Louis XIV, 1638-1715）、奧地利的瑪麗亞・特蕾西亞（Maria Theresia, 1717-1780）等都是名留青史的賢君。

然而，中西文化不同，對於政治的哲學畢竟也有所不同。就東方而言，在中國的先秦時代，早已展開對政治哲學的探討，其內容也極爲豐富，而這些討論的材料，主要保留在五經或後來所謂的十三經之中，而先秦諸子的著作中，涉及政治者皆所在多有。以《周易》經傳而言，無論是經中六十四卦的卦爻辭，抑或解經的《十翼》，皆或隱或顯地蘊含政治哲學。其中最接近儒家政治觀者，當以〈大象傳〉爲主，而〈大象傳〉中推天道以明人事的政治哲學，又爲其特點所在。

一、〈大象傳〉推天道以明人事的政治哲學

今傳《十翼》中的〈象傳〉有〈大象傳〉、〈小象傳〉，〈大象傳〉釋六十四卦卦象，〈小象傳〉釋爻象。若以體例而言，〈大象傳〉著眼於卦體組成，其中並針對卦名、卦義發揮其取象，而多以政治哲學及處世態度作爲發揮的對象。〈小象傳〉則是逐句解釋爻辭，亦有涉及爻象、爻位的發揮與詮釋。若以內容而言，〈大象傳〉涉及政治層面遠較〈小象〉傳爲多， 這方面在前面部分已有相關說明。[1]

黃沛榮在《周易彖象傳義理探微》中指出：

> 〈大象傳〉之政治哲學，可分「德治」與「法治」二端。〈大象傳〉作者以為「德」為：「德」乃為政之本，故有國者，當修身蓄德，以推行德教。換言之，德治須由個人之修德開始。[2]

此外，黃沛榮更指出〈大象傳〉對於個人的修德要求，又包含「厚德」、「育德」，前者如《坤》卦〈大象傳〉，後者如《蒙》卦、《蠱》卦的〈大象傳〉。

以《坤》卦〈大象傳〉觀之：

---

1 關於「君子」、「先王」、「后」、「上」四種詞彙，與先秦典籍中的關係，可參考黃沛榮：《周易彖象傳義理探微》（臺北：萬卷樓，2001 年），頁 110-113。

2 黃沛榮：《周易彖象傳義理探微》，頁 113。

地勢《坤》，君子以厚德載物。[3]

譯：大地的形勢順應無比，君子由此領悟厚植自己的道德來承載萬物。

再以《蒙》卦、《蠱》卦的〈大象傳〉觀之：

山下出泉，《蒙》；君子以果行育德。[4]

譯：山下湧出泉水，這就是《蒙》卦的取象；君子由此領悟要以果決的行動培育德行。

山下有風，《蠱》；君子以振民育德。[5]

譯：上下有風流動，這就是《蠱》卦的取象；君子由此領悟要振起百姓培育德行。

凡此數則，皆是厚德、育德的主張。此外，又如〈大象傳〉中又有「崇德」、「居賢德」等等，於此不一一列舉。而此種對於個人德行的要求，正是爲了使爲政者居上位而能以此德行施行德政，此見〈大象傳〉用意深遠之處。至於法治部分，例如《噬嗑》卦的〈大象傳〉：

雷電，《噬嗑》；先王以明罰敕法。[6]

譯：打雷與閃電交織在一起，這就是《噬嗑》卦。古代帝王由此領悟要辨明刑罰，嚴敕法律的道理。

又如《豐》卦的〈大象傳〉：

雷電皆至，《豐》；君子以折獄致刑。[7]

3 〔宋〕朱熹：《周易本義》，頁 41。
4 〔宋〕朱熹：《周易本義》，頁 50。
5 〔宋〕朱熹：《周易本義》，頁 93。
6 〔宋〕朱熹：《周易本義》，頁 101。

譯：打雷閃電一起到來，這就是《豐》卦。君子由此領悟要判決訴訟，執行刑罰的道理。

又如《旅》卦〈大象傳〉：

山上有火，《旅》。君子以明慎用刑而不留獄。[8]

譯：山上有火，這就是《旅》卦。君子由此領悟要明智而謹慎的施用刑罰，而且不滯留案件。

又如《中孚》卦〈大象傳〉：

澤上有風，《中孚》。君子以議獄緩死。[9]

譯：澤上有風，這就是《中孚》卦。君子由此領悟要慎重的議論訴訟案件，對於死刑的判決要非常謹慎緩慢。

諸如此類，皆與法治有關，可見〈大象傳〉除了主張德治之外，尚有法治的思想。

二、《周易》經傳的其它政治哲學

除了〈大象傳〉之外，《周易》經傳中仍有不少處涉及政治哲學觀點，例如《師》卦上六爻：

上六：大君有命，開國承家，小人勿用。[10]

譯：上六爻：天子頒賜爵位，封諸侯者可以開國，封大夫者可以成家，不可以任用無位之人。

此爻說明賢能的君主擁有天命，所以能開創國家、承

---

7 〔宋〕朱熹：《周易本義》，頁 204。
8 〔宋〕朱熹：《周易本義》，頁 207。
9 〔宋〕朱熹：《周易本義》，頁 220。
10 〔宋〕朱熹：《周易本義》，頁 61。

繼祖業，這是卦爻辭中最直接肯定君主的權威對於人類盛世作用的依據。人民期待著理想的統治者，發揮高度的政治功能來帶領人民前進。理想的統治者也會具有高度魅力，吸引人民支持，如同《離》卦〈大象傳〉：

> 明兩作，《離》；大人以繼明照于四方。[11]
>
> 譯：光明重複升起，這就是《離》卦的取象，大人由此領悟要以持續不斷的光明照耀四方百姓。

由於能夠取象於光明的太陽，並效法其明亮而用以為政照耀萬民，於是萬民趨之若騖。相對的，若是遇到無道失德之君，那麼由另一個有德者將之推翻並重新恢復應有之秩序，也是被許可的。例如《革》卦〈彖傳〉所說：

> 天地革而四時成。湯武革命，順乎天而應乎人。《革》之時義大矣哉。[12]
>
> 譯：天地有變革四時才會運行。商湯與武王的革命，是順從天道而應合人心的。《革》卦所揭示的時義實在太偉大了。

這種順天應人的革命觀點，與孟子所謂的「誅一夫」的革命之說近似。

此外，前述曾提及《周易》文字不乏揭示對於統治者的規範之處，這是《周易》哲理試圖貫通自然與人世秩序、從統治者的高度，透過施政之原則來締造和諧秩序，以求有補於世的一面，而這些原則自然是放諸四海皆準的。在《周易》文字中，理想的統治者足以掌握自然與人世兩種秩序，如《賁》卦〈彖傳〉：

---

11 〔宋〕朱熹：《周易本義》，頁 127。

12 〔宋〕朱熹：《周易本義》，頁 184。

觀乎天文，以察時變；觀乎人文，以化成天下。[13]

譯：觀察自然界的道理，可以探知季節的變化；觀察人文界的道理，可以教化成就天下萬民。

此處所謂的天文與人文，就是自然與人世兩種秩序。此外，人類的生存需要適應大自然的環境，而管理一個群體時亦須理解人心之所趨以及合理的發展方向。人類盛世的達成與否，可以說繫乎此兩點。又如《泰》卦〈大象傳〉：

天地交，《泰》；后以財成天地之道，輔相天地之宜，以左右民。[14]

譯：天地相交，這就是《泰》卦的取象；君王由此領悟要根據天地運行的法則，配合天地運行的條件來形成效益，藉此引導百姓。

此條〈大象傳〉就是在說統治者須配合自然規律來引導人民的作爲。

另外，成功的統治勢必涉及到良好的政府組織以及如何安置前來依附之民眾，如《師》卦〈大象傳〉：

地中有水，《師》；君子以容民畜眾。[15]

譯：地裡有水，這就是《師》卦。君子由此領悟要容納百姓，蓄養眾人。

又如《比》卦〈大象傳〉：

地上有水，《比》；先王以建萬國，親諸侯。[16]

譯：地上有水，這就是《比》卦；古代帝王由此領

---

13 〔宋〕朱熹：《周易本義》，頁 104。
14 〔宋〕朱熹：《周易本義》，頁 72。
15 〔宋〕朱熹：《周易本義》，頁 60。
16 〔宋〕朱熹：《周易本義》，頁 63。

悟封建萬國，親近諸侯的道理。

又如《頤》卦〈彖傳〉：

天地養萬物，聖人養賢以及萬民，頤之時義大矣哉。[17]

譯：天地養育萬物，聖人養育賢人從而養育所有百姓，《頤》卦所揭示的時義實在偉大！

所謂的「容民畜眾」，指的是接納人民，使之能於國內安居樂業，而「人民」代表各行各業的人才，是國家強盛與否的重要因素。這一點不僅僅是在《易傳》成書時的戰國時期有效，對當今世界來說，亦爲不可忽視的一點。而統治者本身亦需要優秀的人員來輔佐，以進行專門的分層統治與管理，維持事半功倍的機能目標。至於「建萬國，親諸侯」，所指涉的背景固然是古代的封建體制，但放到現代的地方自治體制下，又何嘗不能成立？「聖人養賢以及萬民」一句，更是自古至今，希冀達成良好統治時，所確立不移的重要憑藉。

此外，在統治之時，需深刻體察人民之生活，施以節儉、適可而止的原則，如《節》卦〈彖傳〉：

天地節而四時成。節以制度，不傷財，不害民。[18]

譯：天地有節制，四時才會形成。用制度來節制，就不會浪費錢財，不會禍害百姓。

此即意謂統治者所下達的政策，均有可能深刻地影響人民的生活。人民作爲被統治者，在絕大多數情境下無法與龐大的國家體制對抗。若是某項政策勞民傷財，則人民根本無法擁有穩定富庶的生活，那麼自然談不上長治久

17 〔宋〕朱熹：《周易本義》，頁118。
18 〔宋〕朱熹：《周易本義》，頁217。

安。以中國爲例，秦朝政府徵調人民前去築長城、修陵墓、建宮殿、充軍隊，使正常的農工商生產無以爲繼，無異剝奪人民的財產與生命，終致釀成陳勝（？-208 B.C.）、吳廣（？-208 B.C.）等人的起義，而最終亡於項羽（232-202 B.C.），立國僅十五年。正如錢穆（1895-1990）所指出的：

> 秦之政治……恣意役使民眾，如五嶺戍五十萬，長城戍三十萬，阿房役七十萬；此等皆為苦役，與以前軍功得封爵不同……民間遂為一大苦事。[19]

而接下來的漢朝，在開國初年採取清靜無爲，與民休息的政策，讓人民自然發展，在經濟上一度達到了高峰，並開創了後世史家所謂的「文景之治」。之後卻因眾人奢侈，社會風氣敗壞，國家終究由盛轉衰。司馬遷記錄了當時的情況：

> 漢興七十餘年之閒，國家無事，非遇水旱之災，民則人給家足，都鄙廩庾皆滿，而府庫餘貨財。京師之錢累巨萬，貫朽而不可校。太倉之粟陳陳相因，充溢露積於外，至腐敗不可食。眾庶街巷有馬，阡陌之閒成羣，而乘字牝者儐而不得聚會。守閭閻者食粱肉，為吏者長子孫，居官者以為姓號。故人人自愛而重犯法，先行義而後絀恥辱焉。當此之時，網疏而民富，役財驕溢，或至兼并豪黨之徒，以武斷於鄉曲。宗室有土公卿大夫以下，爭于奢侈，室廬輿服僭于上，無限度。物盛而衰，固其變也。[20]

---

19 錢穆：《國史大綱》（臺北：臺灣商務印書館，1999 年 12 月），上冊，頁 127。

20 〔漢〕司馬遷：《史記．平準書》，卷 30，頁 1420。

譯：自漢朝建立至今七十多年之間，國家太平無事，如果沒有遇到水旱災，人民則可以自給自足，都城之內不缺儲糧，國家的財庫充滿貨物錢財。首都的國庫蓄積到巨萬以上，銅錢中間的貫線往往放到腐朽而不能分校。京城的粟倉一年一年的推陳，放到糧倉外邊了，甚至有放到腐敗而不能食用的。平民百姓在街道巷弄中都豢有馬匹，在農田阡陌之馬匹也都成群，而乘駕母馬者往往被排斥不能聚會。守在鄉閭的人可以吃肉，當吏的負責養育子孫，當官的以姓為號。因此人人皆自愛而深怕犯法，率先行義而後遠離受恥辱。在這此時，法網寬鬆而人民殷富，用錢誇奢橫溢，至於富豪能夠兼併一方，以武力在鄉里評斷是非。皇親貴族有封地者，爭相誇奢鬥侈，房屋田產的規模僭越於上級而無節制。事物過盛就會衰退，這也難怪將要有所變化了。

就此段資料而言，也透露了另一個重點：政府也需要藉由制度來約束人民，以防止奢侈浪費、資源損耗，否則政治與經濟，就會由盛轉衰。

至於程頤在詮釋此段《節》卦〈彖傳〉時說：「人欲之无窮也，苟非節以制度，則侈肆至於傷財害民矣。」[21]（譯：人的慾望無窮，如果沒有用制度來節制，就會奢侈放肆乃至於浪費錢財勞害百姓。）其實也就是這個道理的發揮。

另外，〈繫辭傳〉第五章也有一段對於長治久安的論述：

子曰：「危者，安其位者也；亡者，保其存者也；

21 〔宋〕程頤：《易程傳》，卷 6，頁 533。

亂者，有其治者也。是故君子安而不忘危，存而不忘亡，治而不忘亂。是以身安而國家可保也。《易》曰：『其亡其亡，繫于苞桑。』」[22]

譯：孔子說：危險的，是那些安居其位的人；滅亡的，是那些保有生存的人；動亂的，是那些擁有治績的人。因此，君子在安居時不忘危險，在保有時不忘滅亡，在太平時不忘動亂，如此才能使自身平安，而能保住國家。《易經》說：「要滅亡了，要滅亡了，這樣才能繫於大的桑樹上。」就是這個道理。

這裡所談論的是居安思危的原則，因爲人類盛世並非達到之後即可自然延續，而社會群體是一個會變化的有機體，因此需要時時刻刻不斷地配合時勢來採取相應的對策，並防止失序的情況發生，才能達到整體的永續生存。《革》卦〈大象傳〉說「君子以治歷明時」（譯：君子由此領悟要制訂曆法，明辨時序的道理），這裡的「歷」等同於「曆」，整句話是說要統治者明瞭日夜寒暑變化之規律以制定曆法，而自然變化的規律是否掌握得宜，與人民生活息息相關，若能配合自然運行，則可締造盛世的條件。

以上的論述都圍繞著正當的政治活動應有的型態來開展，而如同前面所提到的，這種思想期待著有才德的君主以及良好的社會分層機能。這涉及另一個主題「社會階層化」，於下面章節中再另行敘述。

22 〔宋〕朱熹：《周易本義》，頁 257。

第八章　社會階層化〈同人〉

緒　論

在人類長久的群體發展中，逐漸形成了社會階層化。上一個主題「政治與人類盛世」已經談到政治體制中上位者與下位者的區別，這是社會階層的其中一種展現。凡是依據某些標準而將人類區別等級的結果，都算是社會階層化。不同的階層擁有不同的財富、聲望，以及根據該標準而評斷的重要性。換言之，伴隨著社會階層化的是人與人之間先天或後天的「差異」。

在先秦時代的典籍之中，或先秦諸子在論述時，最常見及的社會階層論述，主要是君民二分，亦即是統治者與被統治者兩種階層，而在《周易》經傳中，最常見及的社會階層，亦是君民二分，因此君民二分的階層觀，在《周易》經傳中，是值得被關注的議題。此外，《周易》經傳中，亦涉及到不少的倫常關係，尤其是儒家所提及的五倫關係。以下就此二點，稍加說明。

一、《周易》〈大象傳〉中的君民觀

君民二分的階層觀，雖然是《周易》經傳中隨處可見及的重要觀點，然而，此一觀點在先秦其它典籍之中，亦是一種階層分類上的共通點，例如以《孟子．滕文公上》為例：

> 有大人之事，有小人之事。且一人之身，而百工之所為備。如必自為而後用之，是率天下而路也。故曰：或勞心，或勞力；勞心者治人，勞力者治於人；治於人者食人，治人者食於人：天下之通義也。[1]
>
> 譯：有做官的人做的事，有做百姓的人做的事。況且一個人身上的種種所需，是由各種工匠製造的東西來讓我們具備。如果一定要自己製造然後才用，這樣就像是帶著天下的人奔走在道路上，沒有安寧的時候。所以說：有的人使用腦力，有的人使用體力；使用腦力的人統治別人，使用體力的人被人統治；被人統治的人供養別人，統治別人的人被人供養，這是天下共通的道理。

孟子於此指出社會中的大小工作事務，其性質內涵與所需的人才都各自不同，簡單區分則可分為「管理者」與「生產者」兩大型態，而此兩大型態所涉及到的工作層面有其差異。所謂的「管理者」與「生產者」，即是孟子此處所謂的「勞心者」與「勞力者」。相對於生產者，管理者自然擁有管理權力，以便維持生產秩序，並且同時接受生產者所帶來的具體成果。然而，各人能力不同，故有適合勞心者，亦有適合勞力者；再者，社會群體的運作，亦不能人人盡是生產者而毫無管理者，否則生產將毫無效率

---

1 〔宋〕朱熹：《四書章句集注》，頁 360。

可言。孟子此一觀點，即是主張社會階層化的論述。再如《荀子．富國》中，也提到「君子以德，小人以力。力者，德之役也」[2]（譯：統治的人使用德行，平民的人使用勞力。勞力者，是爲德行者所勞役的），也與孟子有近似的觀點。綜而言之，「君/民」、「君子/小人」、「勞心者/勞力者」、「統治者/被統治者」的社會階層二分法，是先秦時代主要的觀點。

在《周易》經傳中，亦同樣具有此種觀點，而此種觀點，尤其可在〈大象傳〉中見及。例如《師》卦〈大象傳〉：

> 地中有水，《師》；君子以容民畜眾。[3]
>
> 譯：地裡有水，這就是《師》卦。君子由此領悟要容納百姓，蓄養眾人。

又如《履》卦〈大象傳〉：

> 上天下澤，《履》；君子以辯上下，定民志。[4]
>
> 譯：天在上澤在下，這就是《履》卦的取象。君子由此領悟要分辨上下秩序，用以安定百姓心志的道理。

又如《泰》卦〈大象傳〉：

> 天地交，《泰》；后以財成天地之道，輔相天地之宜，以左右民。[5]
>
> 譯：天地相交，這就是《泰》卦的取象；君王由此領悟要根據天地運行的法則，配合天地運行的條件來形成效益，藉此引導百姓。

---

2 據〔清〕王先謙：《荀子集解》（臺北：藝文印書館，1977 年 2 月），頁 350-351。

3 〔宋〕朱熹：《周易本義》，頁 60。

4 〔宋〕朱熹：《周易本義》，頁 69。

5 〔宋〕朱熹：《周易本義》，頁 72。

又如《同人》卦〈大象傳〉：

天與火，《同人》；君子以類族辨物。[6]

譯：由天與火組成，這就是《同人》卦的取象；君子由此領悟要歸類族群，分辨事物的道理。

又如《臨》卦〈大象傳〉：

澤上有地，《臨》；君子以教思无窮，容保民无疆。[7]

譯：水澤上有地，這就是《臨》卦的取象；君子由此領悟要教導思慮而不懈怠，容納保護百姓而無止境。

又如《觀》卦〈大象傳〉：

風行地上，《觀》。先王以省方觀民設教。[8]

譯：風在上吹行，這就是《觀》卦。古代帝王由此領悟要巡視四方觀察民情，藉此設立教化。

又如《明夷》卦〈大象傳〉：

明入地中，《明夷》；君子以莅眾，用晦而明。[9]

譯：光明陷入地下，這就是《明夷》卦的取象；君子由此領悟在治理眾人時，要用隱晦的智慧讓一切明白呈現。

又如《井》卦〈大象傳〉：

木上有水，《井》；君子以勞民勸相。[10]

譯：木上面有水，這就是《井》卦的取象；君子由此領悟要慰勞民眾，勸勉相助。

---

6 〔宋〕朱熹：《周易本義》，頁 78。
7 〔宋〕朱熹：《周易本義》，頁 96。
8 〔宋〕朱熹：《周易本義》，頁 98。
9 〔宋〕朱熹：《周易本義》，頁 146。
10 〔宋〕朱熹：《周易本義》，頁 181。

從以上數例來看，〈大象傳〉有很明顯的「君民二分」或「君民對舉」的社會階層觀念。然而，值得注意的是，此種「君民二分」與「君民對舉」的觀念，並非揭示君或統治者尊貴或權威的地位，而是重視如何以此種特有的身份與地位，去推行各種德政或仁政，使人民能夠受惠恩澤。換言之，在〈大象傳〉君民二分或君民對舉的社會階層觀之下，其所主張的重點在於「君」（或在上位者）有照顧「民」（或在下者）的責任，此種責任正是連結「君民」關係中的重要紐帶。

二、《周易》經傳中的社會階層與倫理觀

《周易》經傳中除了「君民二分」與「君民對舉」的社會階層觀點之外，還包含其它相關倫理觀，例如《履》卦〈大象傳〉與《同人》卦〈大象傳〉：

> 上天下澤，《履》；君子以辯上下，定民志。[11]
>
> 譯：天在上澤在下，這就是《履》卦的取象。君子由此領悟要分辨上下秩序，用以安定百姓心志的道理。

> 天與火，《同人》；君子以類族辨物。[12]
>
> 譯：由天與火組成，這就是《同人》卦的取象；君子由此領悟要歸類族群，分辨事物的道理。

「辯上下，定民志」，亦即區分上下階層關係並以此秩序引導人民；「類族辨物」指的是辨別人類各自的能力、

11 〔宋〕朱熹：《周易本義》，頁 69。
12 〔宋〕朱熹：《周易本義》，頁 78。

善惡等性質來進行分類。《周易》於此將階層化當作一種對統治者的規範，等於強調其社會秩序方面的功能。然而，究竟還有哪種關係可用來深化社會秩序的穩定？此種關係就是五倫關係，或者所謂的倫常關係，此在《家人》卦的〈彖傳〉中，最爲明顯：

> 《家人》，女正位乎內，男正位乎外。男女正，天地之大義也。家人有嚴君焉，父母之謂也。父父，子子，兄兄，弟弟，夫夫，婦婦而家道正，正家而天下定矣。[13]
>
> 譯：《家人》卦，女子在內為正，男子在外為正。男女各自正於其位，是符合天地之大義的。家裡有嚴厲的長輩，就是指父母。父親要有父親的樣子，兒子要有兒子的樣子，兄長要有兄長的樣子，弟弟要有弟弟的樣子，丈夫要有丈夫的樣子，妻子要有妻子的樣子，如此家道才會端正，端正家道之後，天下自然安定。

家庭不單只是組成社會的最小單位，事實上也可以說是社會的縮影。其中同樣蘊含上下關係、權力與義務的組成等等，亦屬階層之別。《家人》卦的〈彖傳〉所指出的是一種在上者與在下者共同被約束的雙向倫理觀，而非單向的服從與命令。此處在家庭中描述了父子、兄弟、夫婦三類關係，說明彼此應遵守相應於其角色的規範。而從國家社會來看，父子關係亦可比擬爲君臣關係，上對下行仁慈，下對上盡忠孝，以達成穩定、互利的和諧。此與《論

13 〔宋〕朱熹：《周易本義》，頁 149。

語．顏淵》所說的「君君，臣臣，父父，子子」[14]（譯：君主要有君主的樣子，臣子要有臣子的樣子，父親要有父親的樣子，兒子要有兒子的樣子），具有相同的思維。

另外需要注意的是，《周易》本有「推天道以明人事」的思想內涵，也就是將自然秩序與人文秩序相連結。在前面第一個主題「生死與宇宙論」之中曾經提到，《周易》含有一種二元對立的世界觀。以階層關係來說，「上」與「下」的對立是必然會出現的。在〈繫辭傳上〉第一章中從天和地的關係出發來談：

> 天尊地卑，《乾》、《坤》定矣。卑高以陳，貴賤位矣。動靜有常，剛柔斷矣。方以類聚，物以群分，吉凶生矣。[15]
>
> 譯：天在上為尊，地在下為卑，《乾》、《坤》的屬性就這樣界定了。從低到高陳列出來，尊貴與低賤就有了固定的位置。動與靜都有常性，剛與柔就能斷定了。同樣類別的東西會聚在一起，不同類別的東西就會區分開來，這樣吉凶就出現了。

天和地一者在上一者在下，就位置和性質言，有尊卑之別，兩者共同構成一個整體。就團體階級制度而言，亦有貴賤，也就是上位者與下位者的差異，兩者合起來也同樣構成一套完整的體制運作。在二元對立的框架下，事物被分門別類，而「天（陽）—君」和「地（陰）—臣」這樣的關係也就被建立起來，成爲社會階層合理性的說明。以國家而言則爲君臣，以家庭而言則爲父子，在社會、公司

---

14 〔宋〕朱熹：《四書章句集注》，頁 188。
15 〔宋〕朱熹：《周易本義》，頁 233。

中就是上司與下屬、管理職與生產職等等，依此類推。

具備領導氣質與能力者，擔任上位之工作。相對的，在下位者主要的任務並不是進行決策，而是依據決策來執行工作。《坤》卦〈文言傳〉中說：

> 陰雖有美，含之；以從「王事」，弗敢成也。地道也，妻道也，臣道也。地道「无成」，而代「有終」也。[16]
>
> 譯：陰柔之性雖有美善，以此種陰柔內斂的美善跟隨君王從事，不敢自我成就。這是地的法則，妻的法則，臣的法則。地的法則並不主動成就萬物，而是代替天去完成。

「陰」指的是上下二元對立關係中屬於下位者的這一方，於此即是妻、臣等位置，相當於天地關係中的「地」。所謂的「无成而代有終」，意指並非發號施令的領導者而是執行命令的行動者。各階層有各階層的任務與價值，而下位者雖不尊貴，但正因爲有其存在，秩序才得以落實，因此是「有終」。另外像是〈說卦傳〉中的「乾爲天……爲君、爲父」、「坤爲地、爲母……爲眾」等說明卦象涵義之處，也是在二元對立觀念下談論社會階層。

社會階層化是社會秩序之所在，而《周易》思想對此大力闡述，自然也決定了日後的《易》學發展相關論述。漢魏時期的思想家王弼（226-249），他的《易》學作品《周易注》是以義理解《易》的最重要典範。另外，從他的《周易略例．明象》中亦可看到其《易》學思想：

---

16 〔宋〕朱熹：《周易本義》，頁 45。

> 夫眾不能治眾，治眾者，至寡者也。[17]
>
> 譯：眾多者不能治理眾多者，能夠治理眾多的，是至少的。

〈彖傳〉內容在申述一卦整體性的涵義，其中常有專門描述某一爻之性質者。根據這一點，王弼認為六爻之中有一爻可以代表該卦整體的象徵，這也成為他詮釋《周易》時的一個表現，而此處的「多」或「寡」，既可指人，也可指事物。他之所以有此想法，乃是將卦中的主爻與其他爻之關係連結到君臣體制上，認為一群人之中必須要有一人負責管理，團體才能有效運作。例如他在《周易略例．卦略》中說：

> 《屯》，此一卦，皆陰爻求陽也。屯難之世，弱者不能自濟，必依於彊，民思其主之時也。[18]
>
> 譯：《屯》這一卦，都是陰爻求於陽爻。在開創險難的局勢，弱的人不能自我救濟，必須依附於強的人，這就是代表人民思求君主來統治的時候。

此處即明顯地將《屯》卦九五爻比喻成君王，將其他陰爻比為依附於下的民眾，階層關係於焉成形。此外他主張：

> 夫位者，列貴賤之地，待才用之宅也；爻者，守位分之任，應貴賤之序者也。位有尊卑，爻有陰陽。尊者，陽之所處；卑者，陰之所履也。故以尊為陽

17 〔魏〕王弼：《周易略例》，收入《周易二種》（臺北：大安出版社，1999 年 7 月），頁 250。

18 〔魏〕王弼：《周易略例》，頁 269。

位，卑為陰位。（《周易略例·辨位》）[19]

譯：爻所處的位，是用來陳列貴賤的地方，等待爻德發揮作用的所在；爻，據其所處之位而有其分別，而對應於高下貴賤的順序。位有尊卑貴賤的特性，爻有陰陽的特性。尊貴者，是陽爻所處的地方；卑賤者是陰爻所居的地方。因此尊貴的是陽位，卑賤的是陰位。

他將一卦的六個爻位視作不同階層、時機下所形成的「位置」，而該位置之所以有吉有凶，便是來自於處於該位者所作之行動是否恰當。〈小象傳〉有時以當位與否來詮釋爻辭之吉凶，三、五爻爲陽與二、四爻爲陰稱爲當位，反之則不當位。王弼進一步發揮當位與否的概念，認爲吉凶取決於當位或不當位時的表現，能否相應而趨吉避凶，也是取決於是否能「守位分之任，應貴賤之序」。而位有上下貴賤之別這一點，就是王弼利用六爻當作譬喻來加以肯定的。此外，重視《易》理的另一個代表性學者朱熹，則是根據《乾》卦涵義而說：「君尊於上，臣恭於下，尊卑大小，截然不可犯，似若不和之甚。然能使之各得其宜，則其和也孰大於是？」[20]（譯：君王尊貴在上，臣子恭敬在下，尊貴卑賤長幼，斷然不可侵犯，看似彼此互相衝突。但假使能使彼此各盡其本分，那麼還有比這樣更平和的嗎？），這種強調上下尊卑不可逾越的強烈觀念，更是將社會階層化提高到先天規律的高度。十七世紀，日本的德川幕府以朱子學做爲正統學問，正是由於這種上下尊卑論

19 〔魏〕王弼：《周易略例》，頁 265。
20 〔宋〕朱熹：《朱子語類》卷 68，頁 41。

有益於封建秩序之穩固的原因。[21]值得一提的是，日本很早就懂得利用《周易》的這種思想來宣揚君主權威，例如六世紀時，日本重要的政治人物聖德太子（574-622），頒布了一份引用儒家與佛教思想的道德教說文字，後世稱爲《憲法十七條》。其中第三條爲：

> 承詔必謹。君則天之，臣則地之，天覆地載，四時順行，萬氣得通。地欲覆天，則致壞耳。是以君言臣承，上行下靡，故承詔必愼。不謹自敗。[22]
>
> 譯：奉承詔命一定要謹慎。君王就是效天，臣子就是法地。天覆蓋地承載，四時依序運行，天地萬物便得以交流。地若顛覆天道，則導致毀壞而已。因此君王下旨臣子奉旨，上位施行下位順從，所以奉承詔命一定要謹慎，不謹慎就會自我取敗。

這裡用天地比擬君臣，很明顯地可以與《周易》相關處進行對照。

《周易》對社會階層化的論述，由於以自然規律爲相較之對象，因此強調其不可被打破的意味較爲濃厚。就群體發展而言，階層化的確可滿足社會對於各種角色的需求，達成一種整體性的有機系統。但正因爲階層化與「差異」密不可分，於是乎也容易因爲階層之間的不平等而造就衝突。這使得階層化的價值意涵變得十分曖昧。而什麼樣的階層關係才是合理的，以及如何確保階層流動管道之

---

21 可參考王家驊：《儒家思想與日本文化》（臺北：淑馨出版社，1994年1月），頁80-84。

22 據家永三郎、築島裕校注：《憲法十七條》，家永三郎、藤枝晃、早島鏡正、築島裕校注：《聖德太子集》，收入《日本思想大系》第二卷（東京：岩波書店，1982年4月），頁12-14。

順暢，則始終是一個社會群體要達到永續生存時所必須思考的問題。

第九章　宗教與藝術〈噬嗑、賁〉

緒　論

宗教在人類發展歷程中的原始階段和高峰階段，同時扮演著重要角色。首先，在人類文明的原始階段，具有對外在自然、祖先、生命毀滅等等現象，發展出敬畏意識與崇拜儀式的趨勢，因此眾多古文明都擁有自身的宗教，可以說文明與思想由宗教開始亦不為過。然而，宗教上的權力也往往是世俗權力的來源，例如《左傳》所說的「國之大事，在祀與戎」（譯：國家重大的事情，是祭祀與戰爭），即是一例，這句話背後的內涵是指：由國君對天地間的鬼神與祖先的神靈，以一定禮儀程序來進行祭祀，而祭祀之所以能成為國家大事，乃是因為夠透過儀式的進行與操作，即可將祖先所得來的天命承繼權，再度進行確認，從而彰顯君王的權威以及自身權力與地位的合法性，而群體的敬畏情感也透過此儀式而獲得建立。

若就《周易》一書而言，同樣亦有宗教與藝術兩種層面的內涵，以下就此兩項加以說明。

一、《周易》卜筮與宗教特質

古代除了祭祀之外，卜筮也是一種具有深刻的宗教意識，而且是掌握在統治者手中的活動。卜筮的知識與操作原本就是由中央官員（史官）來管理與負責，與庶民無關。因此，卜筮相關的官職，是先秦時期古代政府常設且重大的諮詢機構，一旦君王面臨重大問題，在決策上有所疑惑時，便會藉由卜筮系統，取得決策上的依據。此種藉由卜筮而獲得決策上依據的相關記錄，可從《尚書．洪範》篇的記錄得到證實：

> 汝則有大疑，謀及乃心，謀及卿士，謀及庶人，謀及卜筮。汝則從、龜從、筮從、卿士從、庶民從，是之謂大同；身其康彊，子孫其逢：吉。汝則從、龜從、筮從、卿士逆、庶民逆：吉。卿士從、龜從、筮從、汝則逆、庶民逆：吉。庶民從、龜從、筮從、汝則逆、卿士逆：吉。汝則從、龜從、筮逆、卿士逆、庶民逆，作內，吉；作外，凶。龜筮共違于人：用靜，吉；用作，凶。[1]
>
> 譯：如果你遇到重大的疑難問題，你自己先要多考慮，然後再向卿士商量，再向庶民商量，最後再向卜筮官員商量。如同你自己同意，龜卜同意，占筮同意，卿士同意，庶民同意，這就叫做大同。你的身體會安康強壯，你的子孫會吉祥昌盛。如果你自

1 〔漢〕孔安國傳；〔唐〕孔穎達等正義：《尚書正義》，頁 174。

> 己同意，龜卜同意，占筮同意，卿士不同意，庶民不同意，還是吉利。如果卿士同意，龜卜同意，占筮同意，而你自己不同意，庶民不同意，這也是吉利。如果庶民同意，龜卜同意，占筮同意，而你不同意，卿士不同意，這也是吉利。如果你同意，龜卜同意，占筮不同意，卿士不同意，庶民不同意，那麼對內則吉利，對外就有凶險。龜卜和占筮如果都與人的意見相反，那麼寧靜不動就吉利，有所舉動就凶險。

就此段史料觀之，此處提到了兩種占卜的方式，亦即「卜」與「筮」兩種。「卜」的占卜方式，是透過點燃的蓍草，置入鑽好洞的烏龜的腹甲中，使腹甲遇熱燃燒且產生裂痕，並經由裂紋的觀察與判讀，以獲得占卜結果。「筮」的占卜方式，則是透過蓍草數目的揲算，以所獲得的蓍草餘數，組成某種結果，並對此種結果進行解讀，例如《周易》即屬此類。[2]《尚書．洪範》所揭示的重在點於：若自身的想法與卜筮的結果相同，即使大臣與百姓都反對，然施行後的結果仍然屬吉；若卜與筮其中一項的結果，與己意相違，則無論如何都有凶的可能。總之，《尚書．洪範》的記載，可以得知卜筮在古代政府的決策當中，具有相當重要的地位。

---

2 需要注意的是上古時代使用蓍草占卜的方式不只一種，《周易》僅代表其中之一。《左傳》、《國語》中描述占卜的歷史事件中，出現未記載於《周易》的卦爻辭，即為此之故。《周易》的影響力到後來越來越強，逐漸變得普遍。相關討論可見陳來：《古代思想文化的世界：春秋時代的宗教、倫理與社會思想》（臺北：允晨文化實業股份有限公司，2006 年 1 月），頁 32-39。

卜筮的本質，在於透過某種占卜儀式來得到一種參考結果，並用以解決疑難，而這樣的本質背後，其實是向超越於人之上的一種神祕力量詢問，而且彼此間進行某種感通的聯繫，用以達到「以通天下之志，以定天下之業，以斷天下之疑」（譯：以通達天下的心志，以安定天下的事業，以斷定天下的疑難。）（〈繫辭傳上〉第十章）的結果。因此，卜筮活動及其進行的過程，必定蘊涵著對鬼神崇拜的現象，並且以宗教的意識影響著人類。

《周易》一書中，亦可見及宗教的相關意識，例如《大有》卦上九爻辭的「自天祐之，吉，无不利」（譯：從天而來的庇佑，皆吉，而沒有不利的），表現的是一種對於「天」的崇拜，以及肯定「天」會庇佑自己。於是，此處的「天」具有神格上的意義，與前述宇宙論意義下的「天」，已有所不同。上古時代這種對「天」的崇拜，也可在其他典籍中看到，例如《尚書・商書・盤庚》中記載，商代的盤庚在決定遷都到殷時，為了安撫民心而說「天其永我命于茲新邑」[3]（譯：上天是要讓我們的生命在這新邑長久地繁衍下去），亦即盤庚向人民宣示，商族將在新的國都中，得到天命的庇佑而且能夠穩定長久地經營下去，換言之盤庚透過獲得天命庇佑的宣示，用以達成安定民心，鞏固商族的效果。此外，人類文明對於天的崇拜，也可以用宗教學家伊利亞德（Mircea Eliade, 1907-1986）的主張來說明，伊利亞德列舉了包括中國在內的許多文明對天的崇拜紀錄後，指出：

3 〔漢〕孔安國傳；〔唐〕孔穎達等正義：《尚書正義》，頁 127。

> 真誠的默思觀想天空穹蒼，已足可喚起宗教經驗了。蒼天展現出它的無限與超越。與其他由人及其環境展現出的一切相比，蒼天顯然是「全然他者」（wholly other）。……這一切並非邏輯與理性的運作可以掌握。崇高的、超越世俗的、無限的超驗範疇，顯現在整個人身上，包括他的心智與靈魂。對天的注視與驚嘆，佔據了人整個的意識，人同時也發現到，天的神聖性與人在宇宙中的情境，根本是無從比較。因為蒼天以它自身存在的模式，顯示出它的超越性、能力，及它的永恆性來。蒼天絕對性地存在，因著它崇高、無限、永恆、充滿能力。[4]

如果將宇宙論的探討，視爲原始宗教意識向理性思考邁進的結果，那麼就不難理解，在前述關於宇宙論的主題中，所述及《周易》對於《乾》卦、天、創生力量等等的思想來源爲何。

再者，從《周易》有關祭祀的相關記錄來看，凡是卦爻辭中的「享」字，皆與祭祀有關，例如《隨》卦上六爻辭的「王用亨於西山」（譯：君王在西山獻祭），此處的「亨」字與「享」字相通，又如《益》卦六二爻辭的「王用享于帝」（譯：君王用以獻祭上帝）、《升》卦六四爻辭的「王用亨于岐山」（譯：君王在岐山獻祭）等，皆反映當時宗教盛行的紀錄，也說明了君王有必要透過對自然的祭祀，來達到與天命之間的聯繫，並且透過此種聯繫，

4 伊利亞德著，楊素娥譯：《聖與俗 — 宗教的本質》（臺北：桂冠圖書股份有限公司，2006 年 3 月），第三章〈大自然的神聖性與宇宙宗教〉，頁 161。

證明自身權力地位的合法性。此外，《困》卦九五爻〈小象傳〉說「利用祭祀，受福也」（譯：適宜舉行祭祀，並以此蒙受庇佑），此即說明祭祀的主要目的，也是爲了獲得庇佑。此種祭祀的背後，正意味著先民對鬼神的信仰，《禮記．中庸》說：

> 子曰：「鬼神之為德，其盛矣乎！視之而弗見，聽之而弗聞，體物而不可遺。使天下之人齊明盛服，以承祭祀，洋洋乎如在其上，如在其左右。《詩》曰：『神之格思，不可度思！矧可射思！』夫微之顯，誠之不可揜如此夫。」[5]
>
> 譯：孔子說：「鬼神的德行可真的很偉大！看他看不見，聽他而聽不到，但他卻體現在萬物之中而使人無法離開他。讓天下的人都齋戒淨心，穿著莊重整齊的服裝去祭祀他，好像滿滿的就在你的頭上，又好像就在你左右。《詩經》說：『神的降臨，不可揣測，怎麼能夠怠慢不敬呢？』不論從隱微或到顯著，就是這樣的不可被遮掩！」

由此段記錄觀之，先民對鬼神不僅認爲是存在的，而且對鬼神亦存在著信仰成分，而鬼神的範圍又包含自然神與祖先。在重要的祭祀過程中，例如祭天或祭祖時，主祭者往往是國君，而祭祀場合主要在宗廟之中舉行。換言之，在祭天與祭祖時，國君是祭祀活動中不可或缺的一個重要角色。因此，在《周易》中提到祭祀相關的記錄時通常稱「王」，如上述《隨》卦上六爻辭「王用亨於西山」，《益》

---

5 〔漢〕鄭玄注；〔唐〕孔穎達等正義：《禮記正義》，頁 884。

卦六二爻辭的「王用享于帝」，《升》卦六四爻辭的「王用亨于岐山」即是。

此外，《渙》卦〈大象傳〉所謂「先王以享于帝立廟」（譯：先王由此領悟要對上帝獻祭，並且建立宗廟的道理）中的「帝」字，指的是最高的天神。在《尚書》中，已有「上帝」一詞，與《周易》《益》卦六二爻辭中的「帝」，都是指涉同樣概念，至於「廟」字即指宗廟，是祭祀上帝與祖先的重要場所，而君王的宗廟，同時也是國家存亡的重要象徵。

在宗廟進行祭禮時，國君爲主祭者，如《震》卦卦辭說「震驚百里，不喪匕鬯」（譯：震動驚傳百里，而匕、鬯都不失手），「匕」〈音：ㄅㄧˇ〉是勺子，「鬯」〈音：ㄔㄤˋ〉是一種祭祀用的香酒，兩者是祭祀時所用到的祭器與祭品，根據高亨（1900-1986）的解釋，此句意指進行祭禮時，天空雷聲大作，而祭者仍然能從容不迫而不使祭祀與祭品掉落。[6]此外，《震》卦〈象傳〉又說「出可以守宗廟社稷，以爲祭主也」（譯：國君外出，長子可以守護宗廟與國家，擔任主祭者），乃是根據卦辭內容而引申發揮，「守宗廟社稷」，而又能擔任祭主者，自然是國君或長子，若是配合卦辭情境，表示該國君或長子能夠保持鎮定，並使權力穩固，因而可以守宗廟社稷，在此遂充分展現了王權與神權緊密結合的意涵，從中可以看到宗教對於國家秩序的重要影響力。

宗教作爲原始文明中人類認識世界的途徑，不可避免

6 高亨：《周易古經今注》，頁 176。

地伴隨著迷信或是不可驗證等性質，這一部份很容易被認定爲宗教的負面之處。儘管如此，這些並不能代表宗教的全部面貌，值得思考的是：所有的文明都有延續至今的宗教，此一現象說明了宗教乃是人類發展歷程中必然且必須存在的。首先，宗教所蘊涵的崇拜、敬畏意識，在許多時候也扮演著集體道德規範力量的來源，例如《觀》卦〈彖傳〉說：「觀天之神道，而四時不忒。聖人以神道設教，而天下服矣。」（譯：觀察天地神妙的法則，就知道四季運行的變化而無偏差。聖人根據神明之道，來設立教化治理天下，使天下人順從），傑出的統治者會將宗教與對人民的道德教化相結合，形成良好的風俗讓人民遵守。此外，就個人而言，宗教提供一種身心提升的途徑，使人類達成良好的自我轉化，得到愉悅與寄託。

如果說宗教乃是人類發展歷程中必然且必須的存在，那麼意味著人類對宗教的需求是跨越時空的。更重要的是，宗教包含個人對世界規律思考的面向，個人思考的結果使得宗教的內在學理趨於精細，使其含有高度的探討空間。這表示宗教不僅僅是人類原始文明時期的產物，同時也象徵了人類文明高度發展的成果。因爲這代表了人類自身向上追求美好生活的渴求以及努力，如同德國哲學家卡西勒（Ernst Cassirer, 1874-1945）所說的：

> 人類的偉大宗教導師們發現了另一種衝動，靠著這種衝動，從此以後人的全部生活被引到了一個新的方向。他們在自己身上發現了一種肯定的力量，一種不是禁止而是激勵和追求的力量。他們把被動的服從轉化為積極的宗教感情。……一切較成熟的倫

> 理宗教……它們發現了宗教義務的一個更為深刻的涵義：這些義務不是作為約束或強制，而是新的積極的人類自由理想的表現。[7]

由此觀之，宗教的意義是極爲深遠的。

二、《周易》經傳的藝術特質

藝術象徵著人類對於「美」的探求與展現，不同的時代與文明具有不同的審美觀與藝術風格，但是「追求純粹至高的美」這一點是共通的。這種經驗上的需求與生俱來，並跨越時空地影響著人類發展的方向。但著眼於藝術的起源時，可以說與宗教有千絲萬縷的關係。宗教活動必須具備儀式、器物等等，同時也需要場所來提供儀式的進行。宗教的本質在於區分「神聖」與「世俗」，空間、時間、器物等等皆是如此。這些與宗教相關的對象，必須與其它的對象作出區別，例如宗廟作爲祭祀活動的場所，其地點之神聖性，必然與其他地方相異。伊利亞德指出：

> 人之所以會意識到神聖，乃因神聖以某種完全不同於凡俗世界的方式，呈現自身、顯現自身。……在每一次聖顯的例子中，我們都是面對同樣的奧秘行動；這奧秘的行動，是某種完全不同於此世界狀態的顯現，是一個不屬於我們這個世界的實體，以一個在我們自然凡俗世界中不可或缺部分的物質，向

7 卡西勒著，甘陽譯：《人論 — 人類文化哲學導引》（臺北：桂冠圖書股份有限公司，2005 年），第七章〈神話與宗教〉，頁 159。

我們顯現。[8]

此即說明了，宗教必須先與世俗的一切，做出區別之後，其意義才會更加彰顯。因此，人類意識到了與世俗截然不同的宗教及其神聖的象徵，自然不可能用一般的思維模式與態度，去處理與宗教相關的神聖之事。於是，進行宗教活動時,遂需要特殊的禮儀,同時人類也會基於對「美」的意識，針對這些禮儀儀式，製造出其專屬的空間、器物，對神聖的宗教進行祭祀活動，以及加強人類的神聖意識，使參與者體認到不同於世俗的精神狀態，諸如莊嚴、愉悅、畏懼等等意識。其中一個可作爲代表的例子是音樂，《豫》卦〈大象傳〉的文字足堪玩味：

雷出地奮，《豫》；先王以作樂崇德，殷薦之上帝，以配祖考。[9]

譯：雷從地下振奮而出，這就是《豫》卦的取象；古代的帝王由此領悟要製作禮樂來推崇道德，再隆重地向上帝祭祀，以及配祭祖先。

這裡說君王用音樂讚頌功德，隆重地祭祀上帝以及祖先。必須注意的是作爲藝術形式之一的音樂，在此乃是爲了宗教活動，既有奉獻給神明之意，亦有人神同樂的效果。因此，音樂並不是爲了其本身而存在，而是作爲完成宗教活動的目的而被創作，此種相關的論述亦可見於《禮記·樂記》：

大樂與天地同和，大禮與天地同節。和故百物不失，節故祀天祭地，明則有禮樂，幽則有鬼神。如此，

8 伊利亞德著，楊素娥譯：《聖與俗 — 宗教的本質》，〈緒論〉，頁 61-62。
9 〔宋〕朱熹：《周易本義》，頁 87。

則四海之內，合敬同愛矣。[10]

譯：真正的音樂與天地萬物和同，真正的禮儀與天地同節制。因為能和同所以事物能夠不失序，因為能節制所以能夠祭祀天地，人間則有禮樂，幽冥則有鬼神。因此，四海之內的人民，都能夠彼此敬重互相愛護了。

優美的音樂自能使人擁有和諧的感覺，而此處〈樂記〉的作者更將無形的鬼神與有形的禮樂連在一起，自然是認爲禮樂在穩定社會秩序的效果上，是以透過宗教用途來達成的，而音樂的存在也因爲宗教而有意義。

此外，與音樂關係密切的詩歌中，如中國文學最古老的作品是《詩經》，其中分爲「風」、「雅」、「頌」三個部份。「風」、「雅」兩者屬民歌或貴族所創作的詩歌居多，與宗教較無直接關係，而「頌」主要用在朝廷的祭祀上，與宗教較密切相關。此三者中以「頌」的形成時間最早，此點說明了詩歌形成與宗教需求的關係。此外，涵蓋音樂、文學、舞蹈等元素，集藝術形式之大成的戲劇，其產生亦有強烈的宗教用途。中國最早的歌舞劇乃《楚辭》中的《九歌》，現今可見之《九歌》乃屈原（340?-277? B.C.）所作，而屈原又是在以往祭神歌曲的基礎上，加以改編寫成，因此原始的歌舞形成年代應不晚於西元前四世紀。《九歌》乃巫師進行祭祀時所唱的歌詞，但此時也會配合舞蹈動作，並且另有人負責扮演神靈，已具備戲劇的要素。至於西方戲劇，最早期的代表爲希臘的悲劇和喜劇，而此時

10〔漢〕鄭玄注；〔唐〕孔穎達等正義：《禮記正義》，頁 668。

戲劇的創作乃是用於酒神祭典上。希臘人每年會舉行數天的酒神祭典，進行狂歡，並於劇場中舉行戲劇比賽。很顯然地，這也是藝術之起源與宗教相關的另一例證。

藝術在自身的發展中也會得到了獨立的地位，在不爲宗教而創作的作品中凸顯了以純粹之美作爲最高目的的活動。藝術作品固然可能包含某種實用性，但只有在以純粹之美作爲最高目的時，才會顯現藝術本身的獨立價值。此種超越一般日常形而下的審美追求，就必然是個人心靈或是人類文明發展至成熟的高峰時才會出現的結果。也正因如此，一個民族的藝術品及其風格，也透露了該民族的整體精神與生命情調。

第十章　歷史與人格發展〈剝、復〉

緒　論

藝術和歷史學是我們探索人類本性的最有力的工具。沒有這兩個知識來源的話，我們對於人會知道些什麼呢？我們就只能依賴於我們個人生活的資料，然而它能給予我們的只是一種主觀的見解，並且至多只是人性的破鏡之散亂殘片而已。誠然，如果我們想要完成由這些內省資料所暗示的那幅圖畫，我們可以求助於更客觀的方法：我們可以做心理學的實驗或搜集統計事實。但是即使這樣，我們描繪的人的圖畫將仍然是僵滯呆板、毫無生氣的。我們將只會發現「平常的」人——注重實際和社會交往的日常的人。在偉大的歷史和藝術作品中，我們開始在這種普通人的面具後面，看見真實的、有個性的人的面貌。[1]

——卡西勒《人論》

卡西勒的這段話充分表明了藝術與歷史的重要性，因

1 卡西勒：《人論》，第十章〈歷史〉，頁 298-299。

爲藉由藝術與歷史，人類才得以跨越時空與個體經驗，認知到更爲全面的人類精神發展。歷史是人類行爲乃至興衰盛敗的紀錄，人類透過歷史而得以摸索人文活動的軌跡與規律。輕忽歷史的人，無異於將自身侷限在狹窄的日常生活經驗中。相較於人類精神之總體，這樣的心靈宛如未經啓蒙的孩童一般，只能認知到肉眼可見的現象，而無法察覺隱藏在現象之下的結構。當人類認知到歷史的重要性時，這一刻便可說是朝向理解自身這一目標的一種飛躍性進展。意識到歷史的存在、嘗試紀錄，就是這種飛躍性進展的成果。各個民族的歷史紀錄蘊含了他們的具體事件，以及從事件中可以歸納得知的教訓與啓示，而這一點正是人類產生歷史意識、決定紀錄與觀看歷史的最大意義。中國的先秦時期，對於歷史的記錄已經相當重視，例如有所謂「左史記言，右史記事」（譯：左史記錄君王的言行，右史記錄君王的決策）的說法，又如周朝時期各諸侯亦有自己的國史記錄，例如魯國的國史稱爲《春秋》，晉國的國史稱爲《乘》，楚國的國史稱爲《杌》，凡此皆爲先秦時代重視歷史記錄的證明。然而，《周易》經傳雖然不屬於專門記錄歷史的典籍，但其中有一些古史記錄，而且也有不少特有的歷史意識蘊含其中，以下就《周易》經傳有關歷史的記錄與其憂患意識，稍加說明。

一、《周易》經傳的古史記錄

《周易》經傳中保留不少歷史相關記錄，在顧頡剛（1893-1980）的《古史辨》中〈卦爻辭中的故事〉一篇有詳細的介紹，可供參考。舉例而言，《周易》經傳中有涉及到歷史的相關記錄者，如常見的「利西南」一辭：

> 《坤》：元亨，利牝馬之貞。君子有攸往，先迷後得主。利西南得朋，東北喪朋，安貞吉。[2]
> 譯：《坤》卦：開始，通達，適宜像母馬那樣的正固。君子往前行走時，率先行走就會迷路，隨後順從著走，就會找到主人。在西南方便有獲得到朋幣的利益（或有解釋為「朋友」），在東北方就會喪失朋幣的利益，安於正固就會吉。

> 《蹇》：利西南，不利東北。利見大人，貞吉。[3]
> 譯：《蹇》卦：往西南有利，東北不利。適宜見到大人，正固吉祥。

> 《解》：利西南。无所往，其來復，吉。有攸往，夙吉。[4]
> 譯：《解》卦：往西南有利，無所前往，返回就會吉祥。有所前往，及早行動就會吉祥。

諸如上述的《坤》、《蹇》、《解》卦都提到了「利西南」一詞，西南方是周朝的發源地，而東北方則是殷商，利西南不利東北，反映了周人對自己方位的優越感與安全感的歷史觀點。

---

2 〔宋〕朱熹：《周易本義》，頁 39。
3 〔宋〕朱熹：《周易本義》，頁 154。
4 〔宋〕朱熹：《周易本義》，頁 157。

又如《泰》六五爻：

六五：帝乙歸妹，以祉，元吉。[5]

譯：六五爻：娶得帝乙的妹妹，以此獲福最為吉祥。

以及《歸妹》卦六五爻：

六五：帝乙歸妹，其君之袂，不如其娣之袂良。月幾望，吉。[6]

譯：六五爻：娶得帝乙的妹妹，服飾不如娣的華美。月亮快到滿盈的時後，吉祥。

此二爻皆提及「帝乙歸妹」一詞，一說帝乙是商紂王的父親，他將妹妹嫁給了周的王季，後來生下了周文王，換言之，商紂王與周文王是表兄弟的關係，可見商周的關係本來就很親近。

又如《晉》卦的卦辭：

《晉》：康侯用錫馬蕃庶，晝日三接。[7]

譯：《晉》卦：康侯用賞賜馬的方式給眾多諸侯，一天之內三次受到天子的接見。（或翻譯成：康侯用周成王賜予他的良馬來繁殖馬匹，一天配種多次。）

「康侯」一詞，朱子解爲「安國之侯」，但根據出土文物，如康侯鼎上的銘文，以及高亨的研究，「康侯」是周武王的弟弟姬封，由於初封於康地，故稱康侯或康叔。據此，康侯是周武王的弟弟，而此處爻辭記錄了康侯的事跡，亦可窺見周朝的歷史。此外有些卦爻辭提及了王，例

5 〔宋〕朱熹：《周易本義》，頁 74。
6 〔宋〕朱熹：《周易本義》，頁 202。
7 〔宋〕朱熹：《周易本義》，頁 143。

如《隨》卦上六爻辭的「王用亨於西山」（譯：君王在西山獻祭。注：此處的「亨」字與「享」字相通），又如《益》卦六二爻辭的「王用享于帝」（譯：君王用以獻祭上帝）、《升》卦六四爻辭的「王用亨于岐山」（譯：君王在岐山獻祭）等，雖然無法確定「王」所指爲何，但所言皆與祭祀有關，亦可窺見上古時期君王與祭祀關係緊密的歷史記錄。

又如，《既濟》卦九五爻辭：

> 九三：高宗伐鬼方，三年克之，小人勿用。[8]
>
> 譯：九三爻：殷高宗征伐鬼方，三年才征服，不可任用小人。

高宗是殷高宗武丁，鬼方是西北邊疆民族，此處記載了高宗征伐鬼方的歷史記錄。又如九五爻：

> 九五：東鄰殺牛，不如西鄰之禴祭，實受其福。[9]
>
> 譯：九五爻：東鄰殺牛獻祭，比不上西鄰簡單的禴祭，可以真正受到庇佑。

有些學者將東鄰解釋爲殷商，西鄰解釋爲周，從而突顯出周人對自身優越感的歷史記錄。

《周易》經中雖然保留了不少古史的記錄，但真正藉由這些歷史記錄，發揮義理部分的，還是屬於《易傳》，其中最值得注意的是憂患意識的觀點，以下就此點擄以敘述。

二、《易傳》中的憂患意識

五經中的《尚書》雖然是屬於經的範疇，然而原始性

---

8 〔宋〕朱熹：《周易本義》，頁 228。
9 〔宋〕朱熹：《周易本義》，頁 228。

質乃屬歷史記錄。其內容記載了商周時代君王的相關言行，而原本作爲史書的《尚書》，後來被奉爲經典，正表示了先民對歷史的重視。先民在歷史事件的閱讀過程中，總會產生相關的想法與意識，從而創作出新的概念，例如現在的成語「殷鑑不遠」，就是在商紂王亡國之後，周人在面對歷史事件時，從而得出新的概念與意識，此一意指人類應該記取前人失敗的例子以作爲教訓的想法，就是一種新的歷史意識。此成語出自《詩經．大雅．文王》篇中，〈文王〉一詩的內容爲讚頌周文王之功德，並以殷商被周朝推翻的事作爲警惕，詩中說：「宜鑒于殷，駿命不易」[10]（譯：應當借鑑於殷商，天命是不會永久不變的），意思是要以殷商作爲借鑑，明白保持天命並不容易，從而戒慎警惕努力爲政，以免喪失政權。此種天命不會恆久不變的歷史意識，在周朝特別受到重視，此即後來所謂的「憂患意識」。由於受到殷鑑不遠的影響，周朝人特別重視「天道無親，常與善人」（譯：上天並不會特別偏愛誰，只有偏愛那些對人好的善人）的概念，亦即「天聽自我民聽，天視自我民視」（譯：上天聽的是我有沒有聽從百姓，上天看的是我有沒有視察百姓）的概念，此種不再以天命恆常不變，而將天命的恆常轉移爲百姓民意獲得的有無，並以此戒慎恐懼的心態，去推行德政的意識，即是周代著名的「憂患意識」。

此種憂患意識的闡揚與發揮，最直接的論述，便是〈繫辭傳下〉第七章：

---

10 〔漢〕毛公傳；〔漢〕鄭玄箋；〔唐〕孔穎達等正義：《毛詩正義》，頁 537。

《易》之興也，其於中古乎？作《易》者，其有憂患乎？[11]

譯：《易經》的興起，大概是在中古時代吧，創作《易經》的人，大概是有憂患意識吧？

就此段觀之，〈繫辭傳〉作者以爲作《易》的人，最重要的特色，就是蘊含著憂患意識。《易傳》形成於戰國中晚期，而《易經》則於商末周初成書，因此對《易傳》作者來說，《易經》興起的時代是「中古」，而之所以認爲《易經》作者具有憂患意識，除了歷史事件的歸納之外，還看到卦爻辭中常隱含著一種物極必反的變化觀念。例如許多卦義爲吉，但其中某一爻卻爲凶，或是凶卦中亦有某一爻爲吉，可見一件事情結果並非絕對，隨時可能因各種因素而產生變化，唯有不忘居安思危，方能趨吉避凶。此外，第八章云：

《易》之為書也不可遠，為道也屢遷，變動不居，周流六虛，上下無常，剛柔相易，不可為典要，唯變所適。其出入以度，外內使知懼。又明於憂患與故，无有師保，如臨父母。[12]

譯：《易經》這本書的道理並不是離我們很遠，它所揭示的道理法則經常遷移變化，而且流動不會停止，在虛擬的六個爻位之中循環流動，往上往下沒有一定的常規，陽爻陰爻也往往會相互變易，沒有固定的方式，總是一直隨著變化發展下去。《易經》的進退都有依照一定的法度，出外居內都可以使人

11 〔宋〕朱熹：《周易本義》，頁 261。
12 〔宋〕朱熹：《周易本義》，頁 262。

知道戒慎。還會讓人明白憂患意識與其原因，即使沒有老師，也好像有父母在面前指導一樣。

由於製作《易經》的人蘊含著憂患意識，因此透過《易經》的研讀，能夠指導出我們一套出處語默，出仕隱遯的人生處世哲學。又如第十一章云：

《易》之興也，其當殷之末世，周之盛德邪？當文與紂之事邪？是故其辭危。[13]

譯：《易經》的興起，大概是在殷商的末世，周朝興起的時代吧？是在周文王與商紂王那時候的事吧？所以他的言辭充滿了憂患意識。

此處更明白指出，弱小的周朝能夠推翻強大的商朝，而獲得政權，於是《周易》經中就經常流露出要戒慎恐懼，小心爲政的憂患意識，以避免政權再度淪落他人手中。紂王爲商朝君主，而文王原本爲商朝勢力下的西方諸侯之一，紂王相信天命在己，因此疏於政事，文王則勵精圖治，培養實力，終於由其子武王推翻商朝而建立周朝，重演了商湯發動革命推翻夏桀之事。《易傳》作者認爲，此一歷史事件給予《易經》作者啓示，故藉由物極必反、吉凶互參的卦爻辭來傳達居安思危之理。此點與上述所引《詩經》合而觀之，可以說周朝人認識到擁有天命是不夠的，還需要戒慎恐懼、恭敬修德，不可暴虐無道，如此才能長治久安。這是從歷史意識出發而得到的精神上一大進展，更加認識了人類自身的發展規律以及應循之方向。[14]由此看

13 〔宋〕朱熹：《周易本義》，頁 264。

14 關於周代的「敬」意識以及人文自覺精神興起，更詳細的說明可參考徐復觀：《中國人性論史—先秦篇》（臺北：臺灣商務印書館，2007 年 4 月），第二章〈周初宗教中人文精神的躍動〉，頁 15-35。

來，《易傳》中對於「憂患意識」的概念，是相當重視的，這也是從歷史事件中，所歸納出來的。

《易傳》中另可看到其他強調過往歷史與未來結果之關聯的思想。例如《坤》卦〈文言傳〉說：

> 積善之家，必有餘慶；積不善之家，必有餘殃。臣弒其君，子弒其父，非一朝一夕之故，其所由來者漸矣，由辯之不早辯也。《易》曰：「履霜，堅冰至」，蓋言順也。
>
> 譯：累積善行的人家，必定會有多餘的吉慶留給後代；累積不善的人家，就會有多餘的災禍留給後代。臣子弒殺君王，兒子弒殺父親，不是一天之內突然發生的，而是長期逐漸的累積形成的，只是該辨別的時候無法及早辨別而已。《易經》說：「踩到了霜，就知道堅厚的冰層要出現了。」這些事都是依照順序而發生的。

這裡說明了歷史事件的發生，必有其長遠的因果關係，但看人類能否見微知著。事實上，能夠在事件發生前即洞察一切，或是在閱讀歷史事件時能精準掌握其成因的能力，必定根基於歷史意識。心靈只停留在近似童蒙的階段，只能看到短暫的眼前現象之人是無法做到的。〈文言傳〉這種論述，是在闡述《坤》卦初六爻辭「履霜，堅冰至」的內在義理。腳踩到霜雪，就表示寒冬不遠，這是先民從生活經驗累積的智慧，可說是歷史意識的萌芽。「蓋言順也」之「順」，朱熹解釋爲「慎」[15]，表示謹慎地察

15 〔宋〕朱熹：《周易本義》，頁 44。

覺徵兆。《韓非子・外儲說右上》提到：

> 子夏曰：「春秋之記臣殺君，子殺父者，以十數矣，皆非一日之積也，有漸而以至矣。」凡姦者，行久而成積，積成而力多，力多而能殺，故明主蚤絕之。今田常之為亂，有漸見矣，而君不誅。晏子不使其君禁侵陵之臣，而使其主行惠，故簡公受其禍。故子夏曰：「善持勢者蚤絕姦之萌。」[16]
>
> 譯：子夏說：「《春秋》上記載臣弒君、子弒父的事情，有十多件。這些事件的發生不是一天就能累積起來的，而是逐漸累積以至於此的。」凡是姦佞的人，私下陰謀的時間久了，勢力就會有所累積；勢力累積多了力量就會變大；力量變大大了，就能殺害他人，所以明君應該及早消滅他們。當今田常的作亂，苗頭早就逐漸顯露出來了，但君主卻不殺他。晏子不能讓他的君主禁止侵權犯法的臣子，卻讓他的君主施行恩惠給他，結果讓齊簡公受到了禍害。所以子夏說：「善於掌握權勢的人，要及早杜絕奸邪的苗頭。」

這裡所揭示的道理，亦與從歷史意識產生的防微杜漸觀念相關，可以與〈文言傳〉此處互相參照。

另外，《周易》之中還有另一個現象與歷史意識有關。前面提到，六十四卦往往吉凶爻互參，但亦有六爻皆無凶象者，《謙》卦即屬此類，其六條爻辭皆含「利」、「吉」等字，而無「吝」、「悔」、「咎」等。這一點或許暗示

16 〔清〕王先慎：《韓非子集解》（臺北：藝文印書館，1974 年 4 月），頁 488。

著：謙虛、謙和乃是趨吉避凶的最有效原則。《謙》卦〈彖傳〉說：

> 天道虧盈而益謙，地道變盈而流謙，鬼神害盈而福謙，人道惡盈而好謙。謙尊而光，卑而不可踰，「君子」之終也。[17]
>
> 譯：天的法則是減損滿盈者而增益謙卑者，地的法則是改變滿盈者而流注於謙卑者，鬼神的法則是降禍滿盈者而庇佑謙卑者。人世間的道理是厭惡滿盈者而喜好謙卑者。謙卑者處於尊貴的位置就會展現光輝，謙卑而不踰越法度，是君子終身的法則。

這裡將「盈」與「謙」相對立，「盈」含有充滿、強盛乃至於自滿、驕傲的意思。基於物極必反的規律，天地之間過於強盛的事物會開始衰弱，人與鬼神皆會厭惡過於自滿驕傲之人。相對於此，保持謙虛、低下，乃是長久的生存之道。

這種思想很容易被拿來與道家思想進行比較，例如《老子・第七十六章》說的「堅強者，死之徒；柔弱者，生之徒」[18]，同樣是以謙和隨順而不強求表現作爲生存原則之思想。値得注意的是，老子本人在周朝擔任掌管國家藏書之官吏，屬於史官[19]，而老子思想中所呈現的一種對於自然與人事規律的冷靜洞察，很有可能與史家性格有關。《漢書・藝文志》在論述先秦諸子來源時，說「道家者流，蓋出於史官，歷記成敗存亡禍福古今之道，然後知秉要執本，

17 〔宋〕朱熹：《周易本義》，頁 84。
18 〔魏〕王弼：《老子注》，頁 64。
19 〔漢〕司馬遷：《史記・老子韓非列傳》，卷 63，頁 2139。

清虛以自守，卑弱以自持，此君人南面之術也」（譯：道家一派，源出於周朝的史官，遍記古往今來成功失敗、續存滅亡、禍福得失的道理，然後能夠從中獲得掌握事物核心的關鍵，以清靈虛空的方式來自我涵養，用謙虛卑下的態度來自我持守，這是君王統治國家的方式）[20]，亦有其道理。因此也可以說，研究歷史的過程，等於是在培養一種理性觀察世界秩序的態度。這種態度使得人類的見識擴大、思慮成熟，換言之，也就是使得心靈獲得成長。當我們從這些基於歷史經驗而發展出的道德修養、防微杜漸之理的思想來衡量《周易》時，便可了解：歷來學者們研讀《周易》的目標在於「寡過」，也就是避免犯下危及立身處世的過錯。這是一種最有效的趨吉避凶之法，不須依靠占卜過程即可成立。追根究柢，可以說對於「寡過」之追求，係結合了歷史意識，並融入歷來對《周易》的理解於詮釋之中，而逐漸形成一種面對人世間禍與福的謙和之道。

20 〔漢〕班固：《漢書》（臺北：鼎文書局，1991 年），卷 30，頁 1732。

第十一章　感情與婚姻〈咸、恆〉

緒　論

《禮記‧禮運》所說的「飲食男女，人之大欲存焉」[1]（譯：飢餓飲食與繁衍後代，有人類最大的慾望存在其中）這一句，正點出了一個重要的觀察：人類作爲一種動物，「飲食」與「繁衍」的基本生物本能是與生俱來的，這兩個需求本能，驅使個體與族群生存下去。然而，「飲食」、「男女」雖與動物性本能無異，但人類在此動物性的本能上，卻能逐漸發展出以禮法的模式，節制本身的動物性本能，而與動物有所不同。

因此，制禮作樂的目的，就是爲了讓飲食與男女的動物性本能，趨向理性的途徑，而將「男女」的動物性本能，趨向理性化的途徑即是婚禮、婚姻。值得思考的是：何以古往今來的所有文明中，都有繁複而盛重的婚禮？都會伴隨著公開的儀式？此乃因爲：婚姻讓動物性的本能合理化、理性化，亦代表著兩人的關係得到社會的共同認可，代表著兩個家族的結合。此外，慎重繁複的儀式代表著莊嚴的意義，而雙方的感情藉由婚禮的儀式，從此進入另一

1 〔漢〕鄭玄注；〔唐〕孔穎達等正義：《禮記正義》，頁 431。

階段的生活，並獲得新的社會身分，而後建立另一個家庭。兩人從此承諾成爲彼此的生命共同體，正如《詩經．邶風．擊鼓》所說的「死生契闊，與子成說。執子之手，與子偕老」[2]（譯：無論聚散或生死，我曾對你發誓。緊緊握著你的手，與你白頭偕老。）因此婚禮的人生意義與社會價值，自古以來即被重視。《禮記．昏義》的「昏禮者，將合二姓之好，上以事宗廟，而下以繼後世也。故君子重之」[3]（譯：所謂的婚禮，就是要湊合二家的友好關係，對上可以祭祀宗廟，對下可以傳宗接代。因此君子甚爲重視）正充分表現了這一點。（此處的「昏」字與「婚」字相通）

《周易》經傳中自然涉及了飲食與男女的相關議題，其中男女或夫妻的部分，亦不在少數。大致而言，可分爲「《周易》經傳中有關婚姻的相關記錄」，與「推天道以明人事的婚姻觀」兩種，以下分別稍加敘述。

一、《周易》經傳中有關婚姻的相關記錄

《周易》經傳中保留了不少古史記錄，其中對於古代婚禮的相關禮俗與制度，亦有涉及。舉例而言，上古時期有所謂的搶婚習俗，而搶婚的記錄也保存在《周易》經文當中，例如《屯》卦六二爻：

> 六二：屯如邅如，乘馬班如。匪寇，婚媾。女子貞

---

2 〔漢〕毛公傳；〔漢〕鄭玄箋；〔唐〕孔穎達等正義：《毛詩正義》，頁 81。

3 〔漢〕鄭玄注；〔唐〕孔穎達等正義：《禮記正義》，頁 999。

不字，十年乃字。[4]

譯：六二爻：困難重重，徘徊難行，乘馬也只是原地打轉。不是劫掠的盜賊，是來求婚的。女子占卜得到的此爻不能許嫁，十年乃可許嫁。

又如《賁》卦六四爻：

六四：賁如皤如，白馬翰如；匪寇，婚媾。[5]

譯：六四爻：有文飾的樣子，潔白的樣子，白馬壯碩的樣子。不是劫掠的盜賊，是來求婚的。

又如《睽》卦上九爻：

上九：睽孤，見豕負塗，載鬼一車；先張之弧，後說之弧。匪寇，婚媾。往，遇雨則吉。[6]

譯：上九爻：乖離孤獨，看到豬背上都是泥，載了一車的鬼。先張開弓，後來放下。不是劫掠的盜賊，是來求婚的。前往遇到雨，就是吉祥。

凡此三卦皆提到「匪寇，婚媾」，這就是指搶婚的習俗。另外，除了搶婚的相關記錄之外，有許多卦爻辭中也提到了跟婚姻或感情相關的辭句，如《小畜》卦：

九三爻：輿說輻，夫妻反目。[7]

譯：九三爻：車子的輻脫落，夫妻反目失和。

《小畜》卦九三爻辭中，「輿說輻」的「說」字，與「脫」字相通，意思是指車輪的輪軸脫落了，在爻辭中本爲譬喻，表示兩個原本應爲一體的東西分開了，而要藉此

4 〔宋〕朱熹：《周易本義》，頁 47。
5 〔宋〕朱熹：《周易本義》，頁 106。
6 〔宋〕朱熹：《周易本義》，頁 154。
7 〔宋〕朱熹：《周易本義》，頁 67。

說明的占卜結果就是後面的「夫妻反目」，夫妻指的是婚姻之後的關係，「夫妻反目」指的是相處產生了裂痕，以至於彼此反目成仇。又如《泰》卦：

> 六五：帝乙歸妹，以祉，元吉。[8]
>
> 譯：六五爻：娶得帝乙的妹妹，以此獲福最為吉祥。

以及《歸妹》卦六五爻：

> 六五：帝乙歸妹，其君之袂，不如其娣之袂良。月幾望，吉。[9]
>
> 譯：六五爻：娶得帝乙的妹妹，服飾不如娣的華美。月亮快到滿盈的時後，吉祥。

《泰》卦六五爻辭與《歸妹》卦的「帝乙歸妹」，是同一歷史事件，「歸妹」意爲少女出嫁，根據顧頡剛的考證，「帝乙歸妹」乃商朝的帝乙（紂王之父）基於和親政策，將妹妹嫁給姬昌，也就是後來的周文王。[10]《泰》卦六五爻將「帝乙歸妹」當作一種吉祥的象徵，這自然是因爲把結婚嫁娶、兩家結合看作是正面之故。此外，又如《大過》卦：

> 九二：枯楊生稊，老夫得其女妻，无不利。
>
> 譯：九二爻：乾枯的楊樹長出新的枝葉，老人娶得少婦，沒有不適宜的事。
>
> 九五：枯楊生華，老婦得其士夫，无咎，无譽。[11]
>
> 譯：九五爻：乾枯的楊樹長出花辦，老婦人嫁得壯

8　〔宋〕朱熹：《周易本義》，頁 74。
9　〔宋〕朱熹：《周易本義》，頁 202。
10　詳見顧頡剛：〈周易卦爻辭中的故事〉，收入顧頡剛編：《古史辨》（臺北：藍燈文化出版公司，1993 年），第 3 冊，頁 11-15。
11　〔宋〕朱熹：《周易本義》，頁 122-123。

男為夫，沒有責難也沒有榮譽。

九二爻與九五爻皆提及婚姻關係，唯九二爻是老夫娶得少婦，而九五爻是老婦嫁得壯夫。在此二爻當中，《大過》卦以「枯楊生稊」及「枯楊生華」來比喻婚姻的關係，意味婚姻的關係是爲獨立的雙方，帶來新的希望與助力，因此結婚之後，猶如枯楊而後能生稊、生華。至於九二爻老夫娶得少婦的「无不利」，較起九五爻的老婦嫁得壯夫，只有「无咎，无譽」而言，反映古代父權社會中，年長的男性娶得少婦可獲助力的觀念，而老婦嫁得壯夫，只求「无咎，无譽」而已，不能要求多餘的稱讚。

二、《周易》經傳推天道以明人事的感情與婚姻觀

上面的卦爻辭，純粹只是有關婚姻的史料記錄。然而，在此種記錄的背後，《周易》經傳如何發揮對婚姻的觀點？就《周易》經傳而言，婚姻的起點其實就是男女相感的結果。上經卦序由《乾》、《坤》二卦起始，《乾》爲父爲剛、《坤》爲母爲柔，《乾》、《坤》剛柔始交而後創生萬物，於是以《屯》卦序於《乾》、《坤》之後。至於下經起於《咸》、《恆》卦，〈序卦傳〉則解釋爲：

> 有天地，然後有萬物；有萬物，然後有男女；有男女，然後有夫婦；有夫婦，然後有父子；有父子，然後有君臣；有君臣，然後有上下；有上下，然後禮義有所錯。夫婦之道，不可以不久也，故受之以

《恆》。恆者，久也。[12]

譯：有了天地，然後才會創生萬物；有了萬物，然後才會有男女；有了男女，然後才會有夫婦；有了夫婦，然後才會有父子；有了父子，然後才會有君臣；有了君臣，然後才會有上下尊卑的分別；有了上下尊卑的分別，然後禮儀才會有所安置。夫婦的道理不可以不長久，所以在《咸》卦之後，就接著《恆》卦。

〈序卦傳〉以爲上經由《乾》、《坤》始，《乾》、《坤》爲天地，有天地然後能創生萬物，有萬物然後才有男女，因此上經以《乾》、《坤》開始。至於下經，〈序卦傳〉以爲有男女之後才能成就夫婦，而後才有所謂的父子、君子等倫常，有了父子、君臣等倫常關係之後，自然就有尊卑上下的分別，於是所有的禮樂制度就會有依據的根源存在。就〈序卦傳〉而言，此處並未明確點出《咸》卦，而是以「故受之以《恆》」的方式，反向推知此段敘述乃就《咸》卦而言。而〈序卦傳〉敘述《咸》卦，以爲所有人文化成的世界，皆肇端於夫婦，因此無論父子或君臣的倫常關係，皆以夫婦爲根本而後加以擴展後才有尊卑貴賤的禮儀制度。由此觀之，〈序卦傳〉對於《咸》卦的夫婦之道，賦予了「倫常」與「人文化成」的根本核心，而對《恆》卦，則是賦予了夫婦之道若能長久延續，則人文化成的世界，亦能歷久而彌新的詮釋。總而言之，〈序卦傳〉以爲《咸》、《恆》兩卦都是夫婦之道，唯《咸》

12 〔宋〕朱熹：《周易本義》，頁 275。

卦所重者在於夫婦之道乃倫常的根本，人文化成世界的依歸，而《恆》卦則是要將此種夫婦之道，永續傳承而不止。

此外，就《咸》卦的構成而言，《艮》在下《兌》在上，《艮》卦是少男，《兌》卦是少女，少男在下，少女在上，意味著雖然彼此處於門當戶對的條件之下，但少男在下少女在上，有「以男下女」的隱喻。然而，次卦爲《恆》卦，《巽》在下《震》在上，《震》卦爲長男，《巽》卦爲長女，意味著彼此雖然門當戶對，但長男在上長女在下，有「男外女內」的隱喻。換言之，《咸》卦的夫婦之道，在於婚姻的起始時，亦即是婚禮的起始時，男生要主動親迎備足六禮，以展現低下的姿態迎娶女方，而《恆》卦則是夫婦已成，則男主外女主內，夫婦同志同心以求長久延續。

再以《咸》卦〈彖傳〉觀之，首先，婚姻的基礎在於男女之間的感情：[13]

> 咸，感也。柔上而剛下，二氣感應以相與。止而說，男下女，是以「亨，利貞。取女，吉也」。天地感而萬物化生，聖人感人心而天下和平。觀其所感，而天地萬物之情可見矣。[14]
>
> 譯：《咸》卦的「咸」，就是感應的意思。柔順者上昇而剛強者下降，陰陽二氣相互感應能結合。穩定而喜悅，男生以謙下的態度對待女方，因此能夠

---

13 以現代觀點而言，同性之間亦可有感情與婚姻。但本文討論的重點之一在於婚姻的繁衍功能，這是同性戀在生理上無法做到的，因此本文僅以異性戀作爲討論前提。

14 〔宋〕朱熹：《周易本義》，頁131。

「亨通，適宜正固。娶妻，吉祥」。天地相互感應而能化生萬物，聖人感知人心，天下才能祥和太平。觀察此種感應的現象，就可以看出天地萬物的真實情況了。

「咸」字在古代與「感」字相通，「感」有相遇而彼此產生作用之意，〈彖傳〉起始即認為「二氣感應以相與」，就是陰陽彼此相互感應，亦即男女彼此感應而後能成夫婦之道。此後，〈彖傳〉又將此男女之感，擴大解釋成「天地感而萬物化生」、「聖人感人心而天下和平」兩種「感」。

就「天地感而萬物化生」而言，天與地兩者產生交會感應，各自藉由創生與承受的力量使得萬物生長，此即《乾》、《坤》兩卦的意義，但事實上這也是關於男女之間的隱喻，也就是天代表陽與男性，地代表陰與女性，而所謂的「相感」就是指男女之道，此種男女之道，即是〈繫辭傳下〉第五章「天地絪緼，萬物化醇；男女構精，萬物化生」（譯：天地陰陽二氣會合流通，萬物得以變化衍生；男女彼此精血交合，萬物得以化成生育），此處「男女構精，萬物化生」，意指男女藉由夫婦之道而孕育化成新的生命。反之，若是孤男寡女，則無法延續下一代。因此《歸妹》卦〈彖傳〉說：

《歸妹》，天地之大義也。天地不交而萬物不興。歸妹，人之終始也。[15]

譯：《歸妹》卦，是意味著天地間的大道理。天地陰陽二氣不交流，萬物就無法化生。歸妹（婚姻）

15　〔宋〕朱熹：《周易本義》，頁200。

是讓人類生命終而復始的根源。

就《歸妹》卦的〈彖傳〉觀之，即可明白知曉何以婚姻是人類終始的根源，亦即若無男女透過婚姻建立正常家庭，以父精母血來孕育子孫，則「人」的存在也無法成立。

再就「聖人感人心而天下和平」而言，《咸》卦〈彖傳〉將此種男女相感的感，再次推擴而成為「聖人」感「人心」的感，換言之，原本男女相感的模式，被推擴成「聖人」與「百姓」之感，聖人必須感知百姓的心，知其內心的想法，而後發而為政，如此自然政通人和。總之，《咸》卦〈彖傳〉中與「咸」字相通的「感」字，包含的意義就不僅僅只是「男女之感」而已。

另外，《睽》卦〈彖傳〉說：

> **天地睽而其事同也，男女睽而其志通也，萬物睽而其事類也。《睽》之時用大矣哉。**[16]
>
> **譯：天與地分隔但是化育萬物的工作相同，男與女有別但養育的心志相通，萬物雖然各自有差別但又有相似之處。《睽》卦的時義真是偉大！**

「睽」意指為「相異」，男女之間的生理、性情等先天性質都不同，而且所要負責的面向各自不同，然而卻都能憑藉著心同理同的情感根源，透過感應的方式，使彼此所作所為雖然相異，但異中有同的目的卻是一致。因此，《睽》卦〈彖傳〉在此論述「相異」時，卻將真正的重點放在相異事物之間仍有相同成分，於是天地雖然相睽，但彼此化生萬物的心志卻相同，男女雖然內外有別各有職

16 〔宋〕朱熹：《周易本義》，頁 152。

司，但持家育子的心理卻是一般。

附帶一提的是，古代男女婚姻關係，與現在人的方式並不相同，古代男女之防甚嚴，若要合兩姓之好，通常要透過媒氏。媒氏的職司在《周禮・地官・媒氏之職》記載得很清楚：

> 媒氏：掌萬民之判。凡男女自成名以上，皆書年、月、日、名焉。令男三十而娶，女二十而嫁。凡娶判妻入子者，皆書之。中春之月，令會男女。於是時也，奔者不禁。若無故而不用令者，罰之。司男女之無夫家者而會之。[17]
>
> 譯：媒氏掌管民眾的婚姻。凡男女自出生三月取名以後的，都要記錄他們出生的年月日和姓名。使男子年滿三十而娶妻，女子年滿二十而出嫁。凡娶再嫁婦為妻和接納再嫁婦所帶子女的，都要加以記錄。仲春二月，令男女有相處的機會。這個時候，如果有私奔（意指：不由婚禮程序而完婚）的也不加禁止。如果無故該嫁娶而不嫁娶的，就要處罰。同時針對男女過了婚齡而尚未成婚的男女幫助他們成婚。

《周禮》是戰國時代以周代官制爲基礎，再加上作者心中理想之制度而成，其中「媒氏」這個職位，負責安排百姓的婚姻大事，男女至屆婚年齡而未婚者，或有再婚等相關情況者，媒氏必須替他們加以處置而各有安排。從這段文獻至少可以反映出，作者認爲國家應讓所有人都找到

---

17 〔漢〕鄭玄注；〔唐〕賈公彥疏：《周禮注疏》，頁 216-217。

婚姻對象，以確保人類的歸屬、家族社會的穩固，以及子孫的繁衍。

另外，婚姻並不是單純以生育子孫爲終極目標，其本身的經營更是需要被重視的，上引〈序卦傳〉「夫婦之道，不可以不久也」，即是用來解釋《咸》、《恆》兩卦順序的內在義理。婚姻生活以能夠長久持續爲佳，若是夫妻反目乃至分離，對於家庭成員皆是一種傷害。而長久持續則有賴婚姻雙方共同的努力付出。《禮記・昏義》在說明婚禮儀式之象徵時說「所以合體，同尊卑，以親之也」[18]，（譯：所以會合彼此，同一尊卑，用以親近。）說明其意義在於夫妻結爲同體，尊卑相同，表示親密。不管在儀式中還是未來家庭生活中，夫妻都有各自的職責與倫理，此既是男女有別，亦是爲了維繫長久穩固的婚姻關係，最終能使家庭健全，確保穩定生活與下一代的成長。在感情或是婚姻關係中，人類自然地會希望對方保持忠誠並期待關係的長久維持，這可以說是人的天性，同時也是有利於個體心靈滿足以及人類群體之發展的。《荀子・大略》說「《易》之咸，見夫婦。夫婦之道，不可不正也，君臣、父子之本也」[19]（譯：《易經》的《咸》卦，可以看見夫婦的道理。夫婦的道理，不可以不端正，這是君臣父子的最根本之處），正是這個道理。

---

18 〔漢〕鄭玄注；〔唐〕孔穎達等正義：《禮記正義》，頁 999。
19 〔清〕王先謙：《荀子集解》，頁 783。

第十二章　功成名遂與身退〈遯〉

緒　論

> 持而盈之，不如其已；揣而銳之，不可長保；金玉滿堂，莫之能守；富貴而驕，自遺其咎。功成名遂，身退，天之道。（《老子・第九章》）[1]
>
> 譯：執持盈滿，不如適時停止；顯露鋒芒，銳勢難以保持長久。黃金玉石滿溢廳堂，無法妥善守藏；如果富貴到了驕橫的程度，那是自己留下了禍根。一件事情做得圓滿了，就要含藏收斂，這是符合自然規律的道理。

《老子・第九章》的這段話，其中的「功成名遂，身退」一句，即爲後來成語「功成身退」的典故。爲什麼需要「功成身退」？在此《老子》表達的思想是，任何強盛

1 此處《老子》引文係據《老子河上公注》，收入《老子四種》，頁 10。王弼《老子注》於此章則寫作「功遂身退」，而馬王堆帛書《老子》甲本作「功述身芮」，乃「功遂身退」之異文；乙本則與王弼注同。郭店楚簡《老子》此處作「攻述身退」，亦同王弼注。（均據《老子四種》）。這表示目前可見之時代最早版本寫作「功遂身退」，至漢代的《河上公注》時增字，其後王弼則依據古本。但這是否一定表示「功遂身退」與「功成名遂身退」之差異始自《河上公注》，則有待討論。然大體而言，其義理不致有重大差異。

的事物都不可能永遠地保持下去，隨著形勢的變化，終有轉爲衰弱的時候。基於此物極必反的原理，人類在擁有富貴之時，亦須謹記未來各種變化的可能，而不可驕傲自滿，失去待人處世的分寸，否則無異於給自己種下禍根。當功業名利皆已獲得之時，保持謙遜並做好離開舞台的準備，不讓鋒芒太露，是一種因應自然與人事規律的智慧展現。

漢代的河上公注與漢魏的王弼注是早期《老子》注本中較具代表性的兩種。對於《老子》這一段文字，河上公注本注解此處的身退思想時說：

> 言人所為，功成事立，名跡稱遂，不退身避位，則遇於害，此乃天之常道也。譬如日中則移，月滿則虧，物盛則衰，樂極則哀。[2]
>
> 譯：這是在說人所做的事情，一旦功勞建立事情完成，便會為人稱頌而得到名聲；如果不離開職務而退隱，就會遭遇禍害，這是不變的道理。就好像太陽到了正中午，就會往下移落，月亮滿盈之後就會轉虧，事物到了鼎盛就會衰退，快樂到了極點就會轉為哀傷。

而王弼同樣也注解爲「四時更運，功成則移」（譯：四季更相轉運，功成之後就要轉移）。[3]首先要注意的是兩者都提到自然界中的「循環變化」現象，諸如日月與四季運行，都會隨著時間呈現一種規律變化，不會永遠停留在一個狀態中。王弼的解釋是四季各有其對萬物的功能，達到此功能後便會順著變化規律而推移。河上公注另外還更

2 〔漢〕河上公：《老子河上公注》，收入《老子四種》，頁10。
3 〔魏〕王弼：《老子注》，收入《老子四種》，頁7。

強調其中的保身之道，認爲自然與人事規律都是物盛則衰，因此在個人極盛之時便須具有憂患意識。

歷史上關於此思想的教訓甚多，例如：東漢時的梁冀（？-159）官拜大將軍，位高權重，一手掌握國家朝政，結黨營私，甚至因爲年僅八歲的漢質帝劉纘（138-146）當面指其爲「跋扈將軍」，便密謀將質帝毒死，另立十五歲的漢桓帝劉志（132-167）。根據史書記載，梁冀的權勢已達「窮極滿盛，威行內外，百僚側目，莫敢違命」[4]（譯：窮兇惡極自滿驕傲，橫行朝野內外，文武官僚不敢正視，不敢違背他的命令）的程度。當時一名叫袁著的青年上書勸諫梁冀說：

> 今陛下居得致之位，又有能致之資，而和氣未應，賢愚失序者，埶分權臣，上下壅隔之故也。夫四時之運，功成則退，高爵厚寵，鮮不致災。今大將軍位極功成，可為至戒，宜遵懸車之禮，高枕頤神。[5]
> 譯：如今陛下處於可以得到這些東西的位置，又已經具備了得到這些東西的條件，但祥瑞之氣至今還未出現，賢德和愚蠢的人卻顛倒了次序，這都是因為權勢被權臣分割了，導致上下阻隔。按照四時運行的規律，功成就該身退，賞賜過高的爵位和厚愛的恩寵，很少不會招致禍害的。如今大將軍處的位置已到高點，大功已經告成，理應告誡自己，遵循懸車引退的禮節，高枕無憂地去養神了。

---

4 〔晉〕范曄：《後漢書》（臺北：鼎文書局，1991 年），〈梁統列傳〉，卷 34，頁 1185。

5 〔晉〕范曄：《後漢書》，卷 34，頁 1184。

其中袁著以《老子》的「功成則退」一句，勸梁冀應了解到，擁有高官厚祿者，少有不招致災難，須收斂鋒芒以避禍。然而，梁冀不聽，反派人誅殺袁著，又迫害其他與袁著相關之人，但其後的發展確實應驗了那句「高爵厚寵，鮮不致災」。因爲，漢桓帝向來對梁冀已深爲不滿，於是暗中與宦官結盟，培養勢力，最終等到時機成熟，在 159 年聯合宦官之力將梁冀殺死，梁氏一族亦慘遭滅族。這正是「富貴而驕，自遺其咎」的寫照。

然而，相較於「功成名遂，身退」的思維，《周易》經傳更重視此種「盈不可久」（出自《乾》卦〈小象傳〉）思維的本身，此乃由於「盈不可久」是事物發展的必然過程，若能徹底認識「盈不可久」的思維，於是功成名遂之後，自然知道身退的道理，而不必在「功成名遂，身退」的觀點上，刻意提醒。

一、《周易》經傳中「盈不可久」的思維

《周易》經傳中此種盈不可久的思想，可先從〈小象傳〉觀察。由於《易經》一卦有六爻，六爻又有初、二、三、四、五、上爻之稱，且六爻爻辭又有由低往高、由下往上的取象方式，例如《漸》卦：

> 初六：鴻漸于干。小子厲，有言，无咎。
>
> 譯：初六爻：大雁鳥漸飛至水邊。年輕人有危險。雖有責難的言語，但沒有災難。
>
> 六二：鴻漸于磐。飲食衎衎，吉。

譯：六二爻：大雁鳥漸飛至水涯堆邊。飲食和樂的樣子，吉祥。

九三：鴻漸于陸。夫征不復，婦孕不育，凶。利禦寇。

譯：九三爻：大雁鳥漸飛至陸地上來。丈夫出征在外不回來，婦女懷孕而未出生，凶。適宜抵抗強盜。

六四：鴻漸于木。或得其桷，无咎。

譯：六四爻：大雁鳥漸飛至樹木上。或者停在屋椽上，沒有災難。

九五：鴻漸于陵。婦三歲不孕，終莫之勝，吉。

譯：九五爻：大雁鳥漸飛至山陵上。婦女三年不懷孕。最後沒有人能夠勝過，吉祥。

上九：鴻漸于陸。其羽可用為儀，吉。[6]

譯：上九爻：大雁鳥漸飛至大山陵。羽毛可以在禮儀中使用，吉祥。

《漸》卦六爻取象，從初爻的「干」（水旁），到二爻的「磐」（水涯邊），到三爻的「陸」（地面），到四爻的「木」（樹上），到五爻的「陵」（山陵），乃是以自低到高的取象方式。至於上爻的「陸」字，清儒李光地《周易折中》考據認爲「陸」字乃「阿」的誤字，「阿」

---

6 〔宋〕朱熹：《周易本義》，頁 197-199。

字意指「大山陵」，則較五爻的山陵爲高。由此觀之，《周易》經文六爻爻辭，具有由低往高的取象方式。再以《咸》爲例：

初六：咸其拇。
譯：動了腳拇指。

六二：咸其腓，凶。居吉。
譯：動了小腿肚，有凶禍。居內就會吉祥。

九三：咸其股，執其隨，往吝。
譯：動了大腿，控制住跟隨的動作，前往會有困難。

九四：貞吉，悔亡。憧憧往來，朋從爾思。
譯：正固吉祥，懊悔消失。往來忙碌，朋友跟從你的想法。

九五：咸其脢，无悔。
譯：動了背脊，沒有懊惱。

上六：咸其輔、頰、舌。[7]
譯：動了牙床、臉頰、舌頭。

《咸》卦六爻的取象，初爻的「拇」（腳拇指），二爻的「腓」（小腿肚），三爻的「股」（大腿），四爻「往來」（整個腿部），五爻的「脢」（背脊），六爻的「輔、

7 〔宋〕朱熹：《周易本義》，頁 131-134。

頰、舌」（牙床、臉頰、舌頭），正好從足部、腿部到背部，以及臉部，其取象方式亦是由低往高。諸如此類由低往高的取象方式，《易經》中屢見不鮮。

由於《周易》經文六爻具有由低往高的取象方式，而上爻又是已至事物之極，面對此種事物之極的現象，〈小象傳〉即發展出「盈不可久」的觀點，例如《屯》卦：

> 上六：乘馬班如，泣血漣如。
>
> 譯：上六爻：乘著馬原地打轉，哭泣得血淚漣漣。
>
> 〈象〉曰：「泣血漣如」，何可長也？[8]
>
> 譯：〈小象傳〉說：「哭泣得血淚漣漣」，又怎麼能夠長久呢？

此處所謂的「何可長也」，即是「盈不可久」的發揮，由於處於上卦之上，事物發展已至極端，物窮則變，故盈而不可久，於是〈小象傳〉遂言「何可長也」。又如《否》卦：

> 上九：傾否，先否後喜。
>
> 譯：上九爻：傾覆閉塞，先閉塞然後喜悅。
>
> 〈象〉曰：「否」終則「傾」，何可長也？[9]
>
> 譯：〈小象傳〉說：閉塞到了極點就會傾覆，又怎麼能夠長久呢？

又如《豫》卦：

> 上六：冥豫，成有渝，无咎。
>
> 譯：上六爻：在昏昧中愉悅，最後出現變化，沒有災難。
>
> 〈象〉曰：「冥豫」在上，何可長也？[10]

---

8 〔宋〕朱熹：《周易本義》，頁 49。
9 〔宋〕朱熹：《周易本義》，頁 77。

譯：〈小象傳〉說：「在昏昧中愉悅」到了盡頭，又怎麼能夠長久呢？

又如《大壯》卦：

上六：羝羊觸藩，不能退，不能遂，无攸利，艱則吉。

譯：上六爻：公羊觸撞藩籬，不能後退，也不能前進，沒有任何適宜的事情。在艱難中才會吉祥。

〈象〉曰：「不能退，不能遂」，不詳也。「艱則吉」，咎不長也。[11]

譯：〈小象傳〉說：「『不能後退，也不能成功』，是因為沒有詳查處境。『在艱難中才會吉祥』，是因為災難不會持續長久。」

又如《夬》卦：

上六：无號，終有凶。

譯：上六爻：不用呼號，最後會有凶禍。

〈象〉曰：「无號」之凶，終不可長也。[12]

譯：〈小象傳〉說：「『不用呼號』的凶禍，是因為終究不會長久。」

又如《中孚》卦：

上九：翰音登于天，貞凶。

譯：上九爻：雞鳴的聲音傳到天上，貞者有凶禍。

〈象〉曰：「翰音登于天」，何可長也？[13]

譯：〈小象傳〉說：「『雞啼的聲音傳到天上』，

---

10 〔宋〕朱熹：《周易本義》，頁 89。
11 〔宋〕朱熹：《周易本義》，頁 142。
12 〔宋〕朱熹：《周易本義》，頁 169。
13 〔宋〕朱熹：《周易本義》，頁 222。

又怎麼能夠長久呢？」

此數條皆是〈小象傳〉發揮「盈不可久」的觀點，此種觀點不少，有時是以「何可久也」來表示。因此，「盈不可久」物窮則變的觀點，在上卦上爻的〈小象傳〉中，屢見不鮮。但〈小象傳〉由於針對爻辭解釋，所受限制較多，因此發揮「盈不可久」的觀點畢竟較少，然在其它《易傳》中，有不少發揮的地方，以下就此稍加敘述。

二、《周易》經傳推天道以明人事的「盈不可久」觀點

「盈不可久」的觀點，是從事物觀察所得，而《周易》經傳中除了重視此一思想之外，更強調如何以「推天道明人事」的方式，去應用於世。所謂「盈不可久」一詞出現於《乾》卦上九爻的「亢龍有悔」的〈小象傳〉，《乾》卦六爻皆陽，具有積極能動的象徵，九五爻的「飛龍在天，利見大人」一句，更充滿吉祥意象，成語「九五之尊」的典故即出於此。而到了上九爻卻有一「悔」字，爲《乾》卦中較明顯的凶爻。「亢」字意爲高、高傲、強硬，又引申爲達到極致的意思。若將初到六爻想成是一個事態發展的位階，那麼第六爻確實可以想像成表示處於個人經過前五爻的累積、努力、發達之後的極盛狀態，但此時的「亢龍」卻是「有悔」，其中傳達了事物極盛時將轉爲衰弱的思想。當處於如九五爻「飛龍在天」一般功成名遂時，便須注意到上九爻的「有悔」，而思考身退之道。《乾》卦上九爻〈小象傳〉所說的「亢龍有悔，盈不可久也」（譯：

龍飛到極高處，已經有所懊悔，是說滿盈的狀態無法長久維持。）就是對這種思想的闡發，而更明確的說明則見於〈文言傳〉：

> 「亢」之為言也，知進而不知退，知存而不知亡，知得而不知喪。其唯聖人乎？知進退存亡，而不失其正者，其唯聖人乎！[14]
>
> 譯：所謂的「亢」，是說只知道前進而不知道後退的道理，只知道生存而不知道死亡的道理，只知道獲得而不知道喪失的道理。只有聖人才同時都知道吧？同時都知道前進與後退、生存與滅亡的道理，卻能不偏離正途的，這大概只有聖人才能都知道吧！

這裡說只有聖人，也就是特別有智慧的人，才知道居安思危、以退爲進的道理。這些思想都是奠基在對事物的觀察上，及洞澈其中的變化、不長久等現象而得到的。另外，在《易傳》的其他部分亦有相關例證，例如《既濟》卦上九爻〈小象傳〉說「濡其首，厲，何可久也」（譯：浸濕了頭，危險，又怎麼能夠長久呢），在詮釋上九爻辭的「濡其首，厲」時，以「何可久也」來表達事物發展至極盛時，不能保持長久的想法，這與《乾》卦上九爻〈小象傳〉的思維是一樣的。另外，〈序卦傳〉在說明從《大有》卦到《謙》卦之順序所含義理時，說「大者不可以盈，故受之以《謙》」（譯：大有豐盛卻不可滿盈，於是以《謙》卦接續其後），同樣是在說明極盛之事物必將轉爲衰弱，唯有謙遜、處下，方能明哲保身。

14 〔宋〕朱熹：《周易本義》，頁 39。

以上的闡述都圍繞著一種處世的智慧，這同樣是養生思想的一環。養生不僅僅只是身體保健上的照顧，事實上另一個重點在於人與外在人事環境的互動，後者造成的影響往往更爲深遠且龐大。「功成名遂，身退」的思想，關係著人生階段歷程上，到了中末期之後，也就是晚年時應該要有的認識。誠然，功成名遂不一定要在中年才達到，身退之道的實踐與否也應視所處形勢而非年紀而定。例如美國職籃明星 Michael Jordan，他在 1984 年後的 15 年間，共獲得 6 次總冠軍，期間亦先後向世人宣告退休 3 次。爲何要多次宣告退休，原因在於他在籃球生涯中，多次感到應該要急流勇退，退後再復出便是另一次重生，重生之事物多會先面臨到事物的發展與興盛，而非遭遇衰敗。此例可爲功成名遂身退之理作一最佳典範。

但通常的狀況下，人生發展歷程通常是在前半生建立功業，後半生完成名聲，而且隨著時間累積，「功成名遂」的完成度自是日益增加。因此身退之道在人生中成爲一個課題、確保餘生的順遂時，通常也是在中晚年的階段。而在此更呈現出一個重要的意義：如同河上公與王弼注中使用日月運行、四季更迭等外在現象來說明的，循環、變化、交替等等是世界萬物之規律。人之一生經過壯年、中年的成長，終將衰老。此時的「身退」，已帶有大自然規律下，爲了下一代的發展而不得不然的被動與必然之意義。在這種意義下，身退之道的實踐便是爲了更往後的人生階段做準備。這便關聯到最後一個主題「人生終點」。

第十三章　人生終點〈既濟、未濟〉

緒　論

2011年10月5日，蘋果公司董事長兼執行長史帝夫·賈伯斯（Steve Jobs, 1955-2011）去世的消息在全球媒體上迅速流傳。人們紛紛開始談論賈伯斯在科技開發及行銷上面的成就，盛讚他如何改變了生活的面貌，討論著關於他一切言行的褒貶爭議，以及哀悼他的離去。賈伯斯生前的事蹟隨著他留給世人的形象與成就，一一被輪番報導，其傳記成爲暢銷書籍。大家也藉此反覆地在賈伯斯的人生軌跡上行走，對他進行盛大的追憶，而得到各自的啓發。在此，人們得以以極近的距離觀看一個人的人生終點。

賈伯斯於2005年在史丹佛大學的一篇演講詞，隨著這場風潮而傳頌全世界。其中提到：

> 沒有人想死，即使那些想上天堂的人，也想活著上天堂。但是死亡是我們共有的目的地，沒有人逃得過。這是註定的，因為死亡簡直就是生命中最棒的發明，是生命變化的媒介，送走老人們，給新生代留下空間。現在你們是新生代，但是不久的將來，你們也會逐漸變老，被送出人生的舞臺。抱歉講得

這麼戲劇化，但是這是真的。[1]

這一段足堪玩味的話語，點出了一些對於死亡那些令人忌諱的意象背後所含有的正面意義。在賈伯斯的看法裡，死亡促使人類積極地把握活著的時間而行動，而離開這個世界，也是為了留下空間給下一代的新生命。

在目前探討過的主題中，「人生終點」具有特殊的面向。因為人類不可能親身體驗走過人生終點是什麼樣的感覺，一旦走過，便不可能回頭，人生隨之結束，也喪失了「體驗」的能力。甚至可以說，正因為再也感知不到世界的一切，因此對亡者而言，死亡也等同於全世界的結束。人類可能得以聆聽到曾經有過瀕死經驗的人述說奇特的經歷，但那畢竟是瀕死，而非「死亡」的完成。真正「死亡」的人既不可能擁有體驗死亡的經驗，亦不可能再訴說新的話語。因此，沒有人能夠真正地從自身或他人經驗處得知「死亡」的感覺。就此而言，隨著死亡而達到人生終點這件事跟前面的主題不同，不能夠既從個人成長又從人類群體發展來感知到，而是只能屬於個人，帶有隱密性與不可體驗性。因此，活著的人類只能尋找死亡的正面意義，並為此做出準備。

在《周易》經傳之中，對於生死也有一套特殊的觀點，以下就此點稍加敘述。

---

1 賈伯斯：〈史丹佛演說〉中文版，《蘋果日報》，2011 年 10 月 7 日。

一、《周易》經傳的循環往復觀：終而又始，始而復終

《周易》經傳中由於強調「推天道以明人事」的觀念，因此所觀在天道，所重在人事，對於生死問題與儒家觀點甚爲接近，亦即所重在人事，故從《乾》卦起始乃至《未濟》卦結束，所揭示的智慧與哲理，皆是教導人在現世之中，如何進退出處。然而，值得注意的是，《周易》經傳中並非特別強調生死的概念，反而著重的是始終的概念來做發揮。

《周易》經傳中發揮始終的觀念，主要有以下幾種方式：第一種方式是六十四卦的始終循環不已。六十四卦的排序，從上經《乾》、《坤》二卦開始，到下經的《既濟》、《未濟》二卦，各代表六十四種時態，由於《周易》經傳具有強烈的「推天道以明人事」的觀念，因此將天道各以六十四卦指涉，象徵六十四種時態，此即三國時期魏國哲學家王弼所說的「卦以存時」的觀念，亦即六十四卦即六十四個時態，此六十四個時態象徵著天道。換言之，《周易》對於天道的概念，被區分爲六十四個時態，而此六十四個時態，並非靜止不動，而是流動不止的，自上經《乾》、《坤》二卦開始，到下經《既濟》、《未濟》，永在變動的狀態。再者，《既濟》卦代表事物皆已臻至圓滿，是象徵事物的「終」，《未濟》卦象徵事物皆失序至極，是象徵事物的始。「始終」是一般的思維，有始故有終，然而，《周易》經傳的卦序，卻是《既濟》置於《未濟》之前，

亦即先終後始。然而，先終後始，並不是說終在始之前，而是強調「終而又始」的概念，既是強調「終而又始」的概念，則意味著「終」並不是真正結束，而是結束之後又再次開始。此種「再次開始」的觀念，正是《既濟》卦置於《未濟》之前，而以《未濟》卦爲終的用意。因此《周易》經傳強調的是天道循環不已的概念，也是「終而又始，始而復終」的概念。

《周易》經傳發揮始終觀念的第二種方式，即是六爻的變化。《易經》有六十四卦，因此象徵大道有六十四種時態，但這六十四種時態是一種大的時態，而六十四卦中，各卦皆有初、二、三、四、五、上爻，象徵在某一時態下的六種變化，因此王弼認爲爻的功能就是「爻以示變」。此六種變化按照時間的發展分爲二個大階段與六個小階段，二個大階段就是下卦與上卦，六個小階段就是在上下卦中的六種時序變化，每一卦皆從初爻開始往上發展，而後經歷二、三、四、五爻，乃至上爻。大致而言，初爻爲事物發展的起點，二、三、四、五爻則是往事物發展由漸強到至強的階段，而上爻則是至強而後轉衰的階段，到了上爻的階段，就是準備要往下一卦的初爻繼續發展，而後又繼續往此卦的二、三、四、五爻發展，到了上爻又開始準備往下一卦發展。由此觀之，每一卦有六爻，六十四卦則有三百八十四爻，六十四卦有六十四種時態，此六十四種時態則共有三百八十四種變化，然此三百八十四種變化，並非真謂有三百八十四種變化，而是一種事物發展由初到盛，由盛轉衰的一種形式。換言之，六十四卦雖然有六十四種時態，但此六十四種時態所代表的就是天道循環往復不已，以及終而復始始而又終的概念，而六十四卦雖然有三百八十四種變化，但最終所要揭示的道理即是事物的發展由初到盛，而後由盛轉衰的往復循環不已的概念。

因此，《周易》經傳中，雖然不刻意強調生死，但著重的是循環反覆的觀念，此種觀念並非謂人生沒有終點，而是《周易》經傳藉由此種觀念指出，人在現世之中，沒有所謂永遠的終點，也沒有所謂永遠的起點，而是永遠在終而復始的，始而又終的循環狀態之下。

《周易》經傳作爲一部試圖貫通自然與人事秩序的書籍，從卜筮之書轉變爲當時儒家、道家等哲學思想的總成果，而《易傳》的作者則認爲《周易》整套體系架構蘊含著自然與人事的變化規律。再者，由於《易經》牽涉到揲算占卜，在生死與鬼神的議題上，也勢必有所回應，如〈繫辭傳上〉第四章說：

> 《易》與天地準，故能彌綸天地之道。仰以觀於天文，俯以察於地理，是故知幽明之故。原始反終，故知死生之說；精氣為物，遊魂為變，是故知鬼神之情狀。[2]
>
> 譯：《易經》的制作是以天地作為參考的準則，所以能夠普遍涵蓋天地的法則。聖人抬頭觀察天文的現象，低頭考察地理的形勢，所以知道幽暗與明亮的緣故。推源於起始即可類推結果，所以知道死與生的說法；精氣凝聚而成生物，飄散而變為游魂，因此知道鬼神的真實狀況。

2 〔宋〕朱熹：《周易本義》，頁 237。

這裡說明了《周易》內涵反映了天地間的規律，因此可用來解釋自然與人事之現象。其中「原始反終，故知死生之說」，表示推求事物之開始與結束，因此可以了解關於生死的道理。前一個主題「功成名遂，身退」已然觸及到了事物必然走向衰亡的想法，在〈序卦傳〉的其他部分亦有相關之處：

> 賁者，飾也。致飾然後亨則盡矣，故受之以《剝》。
> 譯：《賁》卦的「賁」，是指文飾的意思，經過文飾之後而亨通，也就到了盡頭，所以就接著《剝》卦。
> 物不可以終動，止之，故受之以《艮》。[3]
> 譯：事物不可能一直在動的狀態，終有停止之時，於是就接續著《艮》卦。

這裡從《賁》卦到《剝》卦以及《震》卦到《艮》卦的順序出發來談這種思想。《賁》、《剝》兩卦分別象徵「文明」和「衰退」；《震》、《艮》兩卦分別象徵「活動」和「停止」。文明終有衰退的時候，活動的事物在能量耗盡後也會停止。這些都是事物的「結束」，換言之，此處也揭示了死亡的必然性。

但是六十四卦的最後一卦是《未濟》卦，象徵「未完成」，這一點也給了〈序卦傳〉發揮的空間。對此，〈序卦傳〉說：

> 物不可窮也，故受之以《未濟》終焉。[4]
> 譯：事物的發展不可能窮盡，所以接續著《未濟》卦作為六十四卦的結束。

---

3 〔宋〕朱熹：《周易本義》，頁 274

4 〔宋〕朱熹：《周易本義》，頁 276。

「濟」字原意爲渡過河流，因此引申有完成的意思。第六十三卦是《既濟》卦，正象徵著「完成」。《既濟》卦是下《離》上《坎》，以當位的條例來看，六爻皆屬當位，可說是一種「完成」。相對的，《未濟》卦下《坎》上《離》，六爻皆不當位，亦可說是「未完成」。照理說，當位、完成應當比不當位、未完成來得圓滿，但〈序卦傳〉作者卻以「物不可窮也」來解釋《未濟》卦作爲最後一卦的涵意。當然，〈序卦傳〉用意在於建立一套宇宙人事發展理論來解釋六十四卦之順序，中間不免有爲了配合卦序而稍嫌勉強之處。但不可否認的是，姑且不論〈序卦傳〉需要配合卦序的詮釋前提，至少可以肯定其中的思想在於事物發展至一定程度後，便會轉向相反的方向變化，這與道家的物極必反思想是一致的。因此可以說，事物在達到完成、極盛的時候便會開始朝向相反方向發展而又變爲未完成，於是乎始終處於不斷的變化中，可預期和不可預期的變化本身就是一種常態，也由此構成一種循環。人生的結束，可以說是一種「完成」。對亡者來說，其所感知到的世界也隨之終結。但相對的，外在世界仍在變化中，亡者本身的生命雖然消逝，但其存在轉化爲另一種形式，諸如回憶、留下的成就、空間、啓示等等，對其他人發揮著影響，參與未完成的事物。在第一個主題中曾經提過，生物的死亡也是自然規律的一部分，具有讓未來誕生的生物得以繼續存在下去的意義。就此而言，人生終點是使事物「未完成」的一個要素。

至此，再回過頭來看居於六十四卦之首的《乾》卦，在第一個主題中已經談論過《乾》卦〈彖傳〉含有的宇宙論思想。而在這個主題中，我們需要注意《乾》卦〈彖傳〉中的「大明終始」這一句。這句話是表示天的創生力量使萬物變化生長循環不已，但爲什麼要用「終始」來表示呢？「始」是開始，「終」是結束。將「結束」放在「開始」之前，是表示一個循環的再度開始。若是講「始終」，則只有單線的時間流動。因此前一個「終」的意義在於下一個「始」的發生，朱熹將之解釋爲「不終則无始」[5]（譯：沒有結束就沒有開始），同樣說出了這一點。

人類恐懼於離開這個世界，不希望死亡的來臨，但死亡之所以有必然性，正是因爲這個世界需要死亡以便持續創生。〈繫辭傳上〉第五章說「生生之謂易」（譯：生生不已就是在說《易經》），認爲創造生命就是《周易》揭示的宇宙規律。既然如此，生命爲何又會被安排必然死亡？對此，死亡的意義在於，前一代人們的死亡與下一代人們的成長，這種世代交替同樣也是一個循環。下一代人們接受了上一代留下來的資源與空間，最後再交給更下一代。人生終點對於個人來說，是一種結束與完成。而與此同時，也開始了未完成、不斷進行交替的這種面向。

5〔宋〕朱熹：《周易本義》，頁 31。

第十四章　動作變異理論與易學關係初探

賴 世 烱

中文摘要：

人類動作/運動行為係人體不同肌肉、關節、與神經，透過一連串興奮與抑制機制交互作用後之結果呈現，變異（variability）則是「生物系統之內與生物系統之間固有存在之物」（Newell & Corcos, 1993），且以生物力學而言，具循環本質之任二個相鄰動作，絕不重覆（Bernstein, 1967）。然而東、西方知識本體之起源與擴展，有時是同源交流，有時卻是異源共發，在 Bernstein 與 Newell 等人之前，宋哲張載（1020-1076）已在宇宙本體論之範疇下，以「天下之物無兩箇有相似者」之概念來解釋及描述天下萬物之現象與道理，溯其源頭，便是易學/易理陰陽一元論及其絜淨精微之道。本文屬性為比較理論之評述性（review）論文，探討現今動作/運動行為學或動作控制與學習中主要的動作/運動變異性理論，包括由訊息理論所衍申出來的動作程式理論（motor program-based theory）、動力模式理論（dynamical pattern theory）（或言動力系統理論）、自由度理論（degrees of freedom theory）、及論述工作要求、生物體、環境等限制之生態理論（ecological theory）等。此類變異性理論雖多，卻都無法跳脫易學陰陽一元論之哲學，及其所延伸出來之難易、多寡、高低、大小、輕重等客觀相對概念。本文對各個變異理論進行論述，後引用易學相關概念對各理論作綜合分析，希冀此一比較理論之回顧文章，能爲動作/運動行爲學之學術領域，激盪並拓展出新的學術知識。

關鍵詞：動作/運動行爲、變異性、易學、比較理論、動作學習與控制

Movement Variability Theories and I-Ching

Abstract

Human motor behaviors are composed of a series of vibration and stability in the movements of various muscles, joints, and nerves. Before the statements proposed by Newell and Corcos（1993）: "variability is inherent within and between all biological systems" and by Bernstein（1967）: "successive movements of cyclical nature never exactly repeat themselves," Zhai Chang（1020-1076）, an ancient Chinese philosopher, had cited that two objects are never being similar. Chang's manifesto was originally used to explained and described how everything in the world functions. Before his time, however, the I-Ching or the Book of Changes mentioned the same concept in more than three thousands ago. This in-depth literature review article applied the critical theorems listed in I-Ching to the major motor behavior/ motor learning and control theories, including the motor program-based theory, dynamical systems theory, degrees of freedom theory, and ecological theory. These theories had the dualistic concepts *per se*, such as relative hard-easy, more-few, high-low, big-small, heavy-light, in common, which they are just what the I-Ching pointed out long time ago in the East. With the synthetic analyses in the theories of movement variability and I-Ching, new academic knowledge is expected to be found in the near future.

Key words: Motor behavior, variability, I-Ching, comparative theory, motor learning and control

壹、前　言

宋哲張載（1020-1076）曾言：「天下之物無兩箇有相似者」（張子全書，卷 12 語錄，頁 4），此一概念原是在宇宙本體論之範疇下，用以解釋及描述天下萬物之現象與道理之用，西方世界中的動作行為學領域，卻比東方晚了約莫 900 年，才由 Bernstein（1967）提到：「以生物力學而言，具循環本質之任二個相鄰動作，絕不重覆」，以及 Newell 與 Corcos（1993）對變異性之本質定論為：「變異性是生物系統之內與生物系統之間固有存在之物」。東、西方知識本體之起源與擴展，有時是同源交流，有時卻是異源共發，而對於描述人類之動作行為，西方及美洲國家說得較為直接，不若東方將其納於做學問或哲學之範疇下隱約論及，究其原因，應歸因於傳統中國知識份子之終極目標，乃在於治國平天下，故較不重視天文、曆算、醫藥、音樂等學科之知識（樊樹志，2009；賴貴三，2009），更遑論武學、武術，乃至於十九世紀末才出現之專業學科「體育」及「運動」。

「動作變異性」議題實為動作/運動行為學（motor behavior）領域歷久不退之潮流、甚至可說是未來仍將主導動作/運動學習與控制（motor learning/control）研究取向之重要研究課題，原因無它，因為具實證精神之科學研究的本質，便是要在諸多變項之間找尋「異中求同」或「同中求異」之行為現象或物理現象。而在此研究課題下，如本文所探討之數個既存已久且各領風騷之動作變異性理論，長久以來皆各自行走，對人類運動或動作生成之因多站在純機械性（如自由度理論及動力系統理論）或純心因性（如動作程式理論）的立場以解讀之。研究者基於「理論可引導科學實驗與研究取向」及「理論整合與簡化」之觀點，嘗試提出易學可以其高度抽象化之意涵，對動作行為學領域各重要變異性理論產生「統之有宗，會之有元」之統攝解釋。

前述張載之言出現於西元九世紀，然而其源頭可往前溯及由伏羲氏、周文王、孔子等先聖哲人（傅佩榮，2005）於西元前五世紀以前，先後傳承所共同合作完成之人類智慧經典——「周易（含經與傳兩部分）」。《周易》認為人類所生存之宇宙和地球，源自太極與陰陽。鄭玄（127-200）於《易贊》及《易論》中揭櫫易一名而含三義：易簡、變易、不易（孔穎達，《周易正義》引《易緯・乾鑿度》），基於這三大原則，包含諸多學科及人類動作行為學等在內的天下之物，便不會出現一模一樣的現象或狀況。

《易經》自義大利人利瑪竇（Matteo Ricci, 1552-1610）開始接觸並翻譯後，至今已有 400 年中西交流與傳承的歷史，這當中出現過許多能以中文閱讀《易經》且成功翻譯《易經》之西方學者，如法人白晉（Joachim Bouvet, 1656-1730）、英人理雅各（James Legge, 1815-1897）、德人衛理賢（Richard Wilhelm, 1873-1930）等知名學者。而較為人津津樂道的例子則是發明微積分和計算機理論的德國數學家萊布尼茲（Gottfried W. Leibniz, 1646-1716），其透過和白晉通信，討論數學二進位和《易經》六十四卦六爻排列之對應關係（Mungello, 1977；黃慶萱，2007）。

分析心理學家榮格（1875-1961）爲一本英文版之《易經》（Wilhelm & Baynes, 1967）作序時提到，西方科學奠基於因果論原理（the principle of causality），但此因果論之公理正在改變及動搖，因爲西方人所謂的自然定律只是統計事實，且必須容忍自然定律中有例外存在。榮格並在因果論（causality）的基礎上創造一個新的英文字彙"synchronicity"，中文譯爲同時性或共時性，即在表達時空中多種事件可同時發生（coincidence of events in space and time），這些同時發生的事件皆是「有意義的偶然」，這也是《周易》占筮有其準確性之原因（礙於篇幅與主題之限制，本文不在此探討占筮問題）。對榮格來說，六十四卦序等同於因果連結（研究者認爲如此理解並不完全正確），但也不得不承認古代中國人的宇宙觀已可與現代物理學相互比較；衍伸則可推論，《易經》之陰陽觀與變異觀對現代科學而言有諸多可相互比擬之處。

國際上有許多著名的漢學研究中心，皆將《易》學或《易經》研究當成重要研究主題。然而結合《易》學之跨領域研究應在少數，這也是研究者嘗試以同時瞭解動作變異性理論和易學基礎理論之身份，進行理論間之綜合比較的原因之一。

本文屬性爲比較理論之評述性（review）論文，探討現今動作/運動行爲學或動作控制與學習中主要的動作/運動變異性理論，包括由訊息理論（Shannon & Weaver, 1949）所衍申出來的動作程式理論（motor program-based theory）（Schmidt, 1975）、動力模式理論（dynamical pattern theory）（或言動力系統理論）、自由度理論（degrees of freedom theory）（Bernstein, 1967）、及論述工作要求、生物體、環境等限制之生態理論（ecological theory）（Gibson, 1977; Newell & Corcos, 1993）等。此類變異性理論雖多，卻都無法跳脫《易》學陰陽一元論之哲學，及其所延伸出來之難易、多寡、高低、大小、輕重等客觀相對概念。本文各章之撰寫皆先對各個變異理論，即動作程式理論、動力模式理論、自由度理論、及生態理論進行簡述，之後便引用《易》學相關概念對各理論作綜合分析，文末更以「易一名而含三義之易簡、變易、不易」來統攝解釋動作/運動變異性理論。希冀此一比較理論之回顧文章，能爲動作/運動行爲學，甚至是運動心理學之學術領域，激盪並拓展出新的學術理念。

貳、動作程式理論與易學之關係探討

在行爲學派（behaviorism）主導傳統心理學研究的1920至1960年代，「刺激-反應」之運作機制強烈地受到Watson, Pavlov, Thorndike, Skinner等行爲學家研究結果之支持，造成心理學家失去對心的研究長達四十年（張春興，2004；Kalat, 2005）。忽略心對人類行爲的影響，便是不承認個體自由意志的重要性，換句話說，行爲主義即是漠視人的認知作用。直到1950年代後期，電腦科學問世，加上 Shannon與Weaver（1949）發展「通訊的數學理論」，界定訊號或訊息在頻道（channel）中以編碼（encoding）

與解碼（decoding）的過程來相互流傳，訊號傳遞的品質好壞會受到白色噪音（white noise）高低之干擾，此噪音干擾之本質即爲一種變異，變異之存在於是成爲訊息流轉之重要影響因子。人類是非常複雜的生物，擁有多樣的感覺（sensation）與知覺（perception），人類大腦對外界的同一刺激可產生不同的認知感受，進而產生不同的行爲反應，認知心理學學派（cognitivism）便是在上述通訊理論與電腦科學的時空背景下孕育而生，簡單來說，認知學派重視刺激與反應之間的心理歷程，此一心理歷程實際上是充滿了諸多變數之訊息處理過程。

訊息處理理論（information-processing theory）是認知心理學的重要理論，動作行爲學家在「刺激與行爲」之間界定訊息處理的三個階段：刺激確認（stimulus identification）、反應選擇（selection of response）、反應準備（preparation of response），Schmidt（1975）將這一連串心理歷程以抽象記憶表徵（即基模 schema 概念）所架構出來的動作類化程式（generalized motor program, GMP）來概括解釋，並利用事件/動作順序（order of events）、相對時間（phasing / relative time / temporal structure）、及相對力量（relative force）等不變的特徵（invariant features）來描述動作產生之機制。Schmidt 對動作程式理論之建立有其重要貢獻，但最早提出動作程式（motor program）概念的學者，應溯及 Lashley（1917）將動作程式定義爲意圖行動（intentions to act）及類化基模（generalized schemata），隨後亦有 Bartlett（1932）主張，以基模（schema）一字來描述個體內在表徵（internal representations）和動

作組織（organizations of movements），此即爲動作程式存在的最佳證據。

動作程式（motor program）是動作學習或控制領域中的重要概念，Magill（2011）定義其爲「執行動作所需的儲存訊息之記憶表徵（a memory representation that stores information needed to perform an action）」，然而如此定義仍屬抽象，對此進一步的詰問便是：「何謂記憶表徵？」。對於受過進階動作/運動控制理論訓練的研究生或學者應該能夠輕易地回答此一問題，記憶表徵很明顯地應與大腦皮質或大腦神經元的運作方式有關。

人類的神經系統可分爲中樞神經系統（central nervous system, CNS）及周邊神經系統（peripheral nervous system, PNS），CNS 可再分成大腦（brain）及脊椎（spinal cord），大腦則可依冠狀切面之中央腦溝（central sulcus）再分成前部的動作皮質區（motor cortex area）及後部的知覺皮質區（sensory cortex area），大部份的皮質擁有六層細胞層（cell layers），神經元（neurons）便分佈在這些細胞層中，其功能爲負責平行或垂直的電子訊號聯繫。礙於本文屬性及篇幅上之限制，初階的 CNS 解剖組織及功能知識可參閱 Magill（2011）動作學習與控制專書第四章，進階知識則可閱讀 Amaral（2000a; 2000b）論文及 Kiernan（1998）人類神經系統專書。此處將直接就大腦地圖（brain mapping）之動作程式理論與易學相關概念，進行探討。

《周易・繫辭上傳》提到：「天尊地卑，乾坤定矣。卑高以陳，貴賤位矣。動靜有常，剛柔斷矣。方以類聚，物以群分，吉凶生矣。在天成象，在地成形，變化見矣。」

此段說明世界萬物有其特殊屬性，天在上爲具剛健之象，地在下爲具柔順之貌，同類事物會聚合在一起，不同群組之事物則分別發展，這樣的概念，便可藉以涵蓋說明大腦地圖及神經元之運作機制。

動作程式理論所談的記憶表徵，不外乎就是神經元彼此連結強度高低及頻率多寡之結果呈現，神經元的構造大同小異，每個神經元都具有細胞體（cell body or soma）、樹狀突（dendrites）、軸突（axon）、及突觸（Synapse）等構造，但處在枕葉視覺區的神經元，只會特別去處理視覺方面的訊息，而處在顳葉聽覺區的神經元，通常只針對聽覺訊號加以傳遞。大腦地圖（mapping）之存在，其實就是一種定位或對位的觀念（可用乾坤定矣或貴賤位矣之概念涵蓋之），某一皮質區可對應至某一身體感覺或身體動作，但這只是大略的對應，各皮質區中的神經元由於身處特定感覺或動作皮質區，便只顯現該皮質區之運作功能。此一理念亦可以《周易．說卦傳》對八卦所定之基本象徵來說明，即「天地定位，山澤通氣，雷風相薄，水火不相射」之說，天地定位可化育萬物，山澤通氣象徵地氣可流轉互通，雷風相互靠近產生自然激盪，水火異體而不互犯。宇宙萬事萬物理一分殊，自太極而兩儀、四象、八卦，然後差異迴然；依此理類推至神經元概念，可理解不同腦區神經元之運作機制並無不同，彼此在同步或平行運作時亦不互相干擾，惟造成其產生功能不同的原因在於「神經元所處大腦位置（即定位或對位）」有所差異。

但此處須特別提出二個重要觀念，第一，皮質區大部分屬於聯結區（association area）。雖然大腦地圖作用區已有部份較經得起實驗考驗且爲人所接受，如 Broca's area 和 Wernicke's area 等分別掌管文字結構及語意使用，但筆者認爲，大腦裡最值得重視的皮質區應在於多重感官或動作連結區，這種連結區中的神經元非常具有可塑性，保有彈性的神經元迴路，便能造就多樣的記憶表徵，讓吾人以抽象假設其存在之動作程式，具備類化、靈活、與變通之特質，如此便能解決大腦記憶體容量或注意力容量不足的問題（Kahneman, 1973）。

第二，較少作用的神經元很容易被較常作用的神經元所取代。這是用進廢退的概念，神經元的樹狀突應該越多越好，這樣便能在有限時間內廣泛地接收來自其他神經元的訊號；神經元的軸突應該越粗壯越好，如此才能在需要時，立即拮取適當的神經訊號來傳遞。這些一群一群特別容易被一同引發的神經元連結，便是記憶表徵的基礎、是動作程式賴以存在的基本概念，更是《周易》「方以類聚，物以群分」的最佳實例。

參、動力模式理論與易學之關係探討

動力（dynamics）一字原指的是事物隨時間改變的數學（the mathematics of how things change in time）（Kaplan & Glass, 1995），而動力模式理論（dynamical pattern theory），或言動力系統理論（dynamical systems theory）的基本定義包括以下二點（Williams, 1997）：1.隨著時間改變而移動或演變的任何事物（anything that moves or that evolves in time），及 2.任何一種後現象隨著前現象改變的過程或模式（any process or model in which each successive state is a function of the preceding state）。上述定義一再強調「事物隨時間改變」的本質，其實這就是《周易．繫辭下傳》所言「《易》窮則變，變則通，通則久」的道理，這句話譯爲今日話語便是「事物走到盡到頭就會產生變化，變化就會通達，通達就會持久」。且易理非常重視「時」的觀念，《周易．艮卦．彖傳》曰：「艮，止也。時止則止，時行則行，動靜不失其時，其道光明」。此處之「時」就是一種「具體條件」與「可能性」之意涵（徐志銳，1995），據此概念，可知談動力便是在談人事物產生變化時的關鍵情境或關鍵狀態。

關鍵情境（critical state）是科學家在研究原子、分子、物種、人類、甚至是事物基本概念時非常重視的知識體（Buchanan, 2001），同樣始於字母“c”，關鍵情境的三大科學理論轉移，依序爲大災難理論（catastrophe theory）、混沌（chaos）、及複雜 （complexity）。《周易》「窮則變」的道理，正可用來解釋上述關鍵情境的三大科學理論。

一、大災難理論（catastrophe theory）

法國數學家 René Thom 於 1968 年在一份「理論生物學座談會的會議記錄」中首次提到大災難理論（Aubin, 2004），這並不是一種可以透過科學實驗來加以檢驗的理論，但卻可用來描述與理解自然現象。大災難理論的本質在於承認事物會突然改變之事實，其實這就是《周易》窮則變之道。《周易》中《乾》卦與《坤》卦係分別為純陽及純陰之卦，《乾卦上九．小象》曰：「亢龍有悔，盈不可久也」，《坤卦上六．小象》曰：「龍戰于野，其道窮也」，及《坤卦．文言》曰：「陰疑於陽必戰」，都是在說明陽盡則轉陰，陰動極則類陽的道理，這種陰與陽的轉變是突然的，動力系統中談到的相位轉移（phase transition）、相對穩定（relative stability）、吸引子（attractor）、分歧（bifurcation），乃至於 HKB model（Haken, Kelso, & Bunz, 1985）與運動心理學中預測焦慮和運動表現關係之大災難模式（Hardy & Parfitt, 1991）之提出，皆可納於此陰陽轉變的邏輯架構下談論之。

二、混沌（chaos）

法國物理學家 Henri Poincaré（1854-1912）所研究的力學三體問題（three-body problem）是混沌理論之濫觴（Buchanan, 2001），之後麻省理工學院的氣象學家 Lorenz（1963）為研究難以預測的天氣，以三聯立線性微分方程式畫出狀似蝴蝶翅膀的三維軌跡圖（Lorenz attractor），這就是為何談到混沌理論便使人容易聯想到蝴蝶效應（butterfly effect）的原因。混沌（chaos）的基本涵意為：事物初始狀態的微小變化，會強烈地影響事物的最終結果，而且即便這整個過程可由嚴格的數學公式來定義，初始參數的細微變化仍會使最終結果難以預測。動作/運動行為學研究領域於是依據這樣的概念，試圖找出微觀動作的控制參數（control parameter）來影響或改變巨觀動作的秩序參數（order parameter）。以上述的 HKB model（Haken 等, 1985）而言，控制參數爲動作頻率或速度（frequency or speed）在量方面的改變，秩序參數則是相對相位（relative phase, 包括同相位與反相位）在質方面的改變。

三、複雜（complexity）

熱力學第二定律指出：「宇宙的亂度傾向變成無限大」（the entropy of the universe tends to a maximum），此一定律已反應出複雜（complexity）所處的科學理論環境。人類透過歸納法和演繹法進行許多自然科學與人文科學的研究，目的在於找出宇宙發展和人類社會的終極規律，東西方的科學家和哲學家們努力了幾千年，終於發現這個世界有極大的亂度或變異性。筆者認爲，若要歸結出某些終極規律，唯有承認這些亂度或變異性之存在，而以一可放諸四海皆準的名詞或稱號來包含宇宙的萬事萬物，這個名詞或稱號之本質必須很有彈性、且具有抽象、模糊和適應各種變化現象之特質。對科學家或物理學家而言，這個名詞可能是動力系統（dynamical systems）、複雜（complexity）、相對論（relativity）、變異（variability）、普遍存在（ubiquity）、或萬有理論（theory of everything）；對宗教家而言，可能是「佛」、「道」、「證」、「悟」、「空」、「究竟」；對思想家而言，可能是「理氣」、「道器」、「心性」、「動靜」、「虛實」；然而對仰以觀於天文，俯以察於地理之自然信奉者來說，這個稱號便只有「易」了，是故《周易・繫辭上傳》有言：「《易》與天地準，故能彌綸天地之道」。

《周易》窮則變之道，可用以概括解釋以下與複雜或動力系統相關之名詞，包括自我組織（self-organization）、協同（synergy/synergetics）、協調（coordination）等。首先，自我組織之定義爲：「不受特定外在干擾、而可取得時間、空間、或功能結構之系統（Haken, 2000）」。生物學上的實例，如雁行天上、魚聚而游；物理學方面有水遇激流、颶風的天氣元素（如風及溼度等）；在經濟市場中則爲貨品、服務、勞工、薪資之需求消長狀態（Williams, 1997）。第二，協同指的是「系統中個別成份持續相互協調，透過自我組織可產生新的質變（Haken, 1996）」，協同的主要概念仍在於控制參數與秩序參數，意指控制參數中的量的些微改變，可造成秩序參數在質方面的巨大變化。人類動作表現之實例爲游泳速度與手臂動作協調之動力系統分析（Seifert, Chollet, & Bardy, 2004）。第三，協調與控制則較能顧名思義，對動作/運動行爲學領域而言，通常指的是人體在執行動作時，各肢段或各部位之間、或不同時間百分比與動作表現之間能維持適當的相對位置、相對力量、或相對關係，如三級跳遠選手之協調變異（Wilson, Simpson, Van Emmerik, & Hamill, 2008）。《周易》窮則變，變則通，通則久的道理，與本段動力系統相關字詞之關聯處，即在「變通」二字，「變通者，趨時者也」，事物一旦隨著時間在細微處產生變化，便如同《周易》六十四卦，任一卦之各爻陰陽如有一變，該卦便不能成爲該卦，意即秩序參數巨觀之質已改變。

肆、自由度理論與易學之關係探討

動作/運動行爲學中的自由度理論（degrees of freedom theory），最初被稱之爲自由度問題（degrees of freedom problem）或伯恩斯坦問題(Bernstein's problem)(Bernstein, 1967），此處將其稱之爲「理論」，原因在於 Bernstein（1967）根據機械力學、生物力學、及生理學觀點所發展出來的自由度三階段：凍結、解放自由度、與正反作用力，可以概略解釋或描述人體運動時關節、肌肉、動作位元、甚至大腦神經元的運作機制，這種以包含少數任意元素之模式（自由度三階段）來描述一大群觀察値，並對未來其他觀察値作出明確預測之陳述（將多餘自由度轉化成一可控制之系統），完全符合「成爲一個好的科學理論」之要求（Hawking & Mlodinow, 2008）。而上述「將多餘自由度轉化成一可控制之系統」，即是協調（coordination）之概念，因此自由度理論此時也能夠與複雜、或動力系統理論放在同一基礎上討論。使用主成份分析（principal component analysis, PCA)來簡化全身性運動協調之眾多維度資料（陳秀惠，2005；Chen, Liu, Mayer- Kress, & Newell, 2005），即可算是依此自由度理論而發展出來的量化協調之有效工具。

《周易．繫辭下傳》曰：「夫《易》，彰往而察來，而微顯闡幽。開而當名辨物，正言斷辭則備矣。其稱名也小，其取類也大。其旨遠，其辭文，其言曲而中，其事肆而隱」。這一段《周易》文字用字精簡切旨，其含意已超越前段提到之現代科學「理論」所定義的範圍，大意爲「《易》可探究事物或現象的細微變化，闡發幽隱之道，其所列出之六十四卦，各卦所命卦名適當，且能用準確的言詞來下斷語，並達到完備的程度（明確預測與轉化多餘自由度）。各卦所使用名稱之元素不多（理論之少數任意元素），但所象徵和類比的事物卻很豐富（理論之一大群觀察値）。《易》理旨意深遠，辭藻文雅，用字委婉而中正，敘事則是在無邊無際的談論範圍中隱藏深刻的道理」。

談到自由度（degrees of freedom, DOF）之起源，其概念源自於俄國科學家 Bernstein 於 1967 年出版的英文文獻，然而 Bernstein 在該書出版前的 1966 年 1 月 16 日便已身故，無緣感受到其著作是如何地受到歐美學界之重視、並持續擴大其學術影響力以至今日。爲清楚闡述 DOF 之重要性，本文有必要首次在中文文獻裡談到它的生成始末。

DOF 概念出現於 Bernstein（1967）專書中的第三章“Biodynamics of Locomotion”，而這一章的內容早在 1940 年即由 Bernstein 與其同事（Bernstein, et al., 1940）在莫斯科以俄文出版，該論文名稱爲“Studies of the Biodynamics of Walking, Running, and Jumping”。除此之外，DOF 還有一項鮮爲人知的生成故事，那就是它出現的位置是在第三章的最後一節 — 第五節，動作協調研究之結論“5. Conclusions towards the Study of Motor Co-ordination”。爲何在此要提出這一件事，原因在於 DOF 是動作/運動行爲學的重大理論，但它首次出現在文獻上的位置竟是如此地不起眼、且被排在類似「未來研究方向」的節次中。筆者認爲，這當中亦蘊含了一種「學術需要被彰往而察來，被微顯闡幽」的道理。

回到 Bernstein 的第三章，其中還有一些重要的觀念值得今日的動作/運動行爲學家注意，以下臚列幾點重點：1.本章主要談的是移動（locomotion）的生物動力學，移動的內容包括走路、跑步、和跳的動作。2.1926 年已開始使用循環記錄（cyclogrametric investigation）的方式來研究人的移動運動。3.至遲在 1934 年之前，已發現許多一般正常走路的步態細節，包括步態的循環（gait cycle）和雙腳支撐期（double support）等。4.從生理學觀點來看，用移動來研究人類動作或運動的過程，可提供非常重要的研究資料，其原因包括以下五點：（1）移動運動是一種高度自動化的動作（automatization），（2）移動運動以協同（synergy）的方式整合人體肌肉、骨骼、和神經系統之運作，（3）移動運動是所有人類皆能精熟且普遍（generality）能夠使用的人體動作，（4）移動運動是自遠古時代人類即具有之動作（ancientness），及（5）移動運動具穩定（stability）之特質及固定之結構。

Bernstein 是一位著作等身的學者，其著作以俄文出版居多，除非能夠直接閱讀俄文，否則歐美乃至於亞洲學者通常要等到其俄文著作被翻譯成了英文或中文，才能知道 Bernstein 曾經做過些什麼研究。英文翻譯方面的 Bernstein 著作，散見於如 Mark Latash 之圖書集冊（Latash, 1998）。

伍、生態理論與易學之關係探討

生態理論（ecological theory）是人類與環境互動而產生人類活動的必然產物，實源自於人類的自然經驗，《易》可類萬物之情，因此可將生態理論納在其中討論之，但此處依本文撰文架構，先從西方文獻來談論生態理論之起源與發展。

完形心理學（Gestalt psychology）係由德國心理學家韋特海默（Max Wertheimer, 1880-1943）於 1912 年創立，認爲個體會對整體刺激環境做整體反應，而不是向部份刺激做分解式的反應，此一學派後由 Koffka（1935）承襲並接續發展；根據這種整體式的概念，Gibson 與其同事於 1950 年代提出視覺與知覺的整體作用（Gibson, 1950; Gibson & Walk, 1960），隨後即使用了“affordance”一字來論述「環境–知覺–行動」之關係（Gibson, 1977）。【按：“affordance”現多譯爲環境賦使（楊梓楣與卓俊伶，1998）】。Gibson 對“affordance”一字定義爲：「環境的物理本質對某一特定動物可參照的營養系統、行動系統、或移動系統之整合（*a combination of physical properties of the environment that is uniquely suited to a given animal – to his nutritive system or his action system or his locomotor system*）（1977, p. 79）」。

上述「環境–知覺–行動」之系列作用，即是生態理論之發端，現今重要的動作行爲學家如 Kugler, Kelso, &

Turvey（1982）和 Sternad（1998），更以 Gibson 生態心理學和 Bernstein 協調概念爲基礎，傾向將知覺行動理論（perception-action theory）當成動力系統中的耗散系統（dissipative system）來論述人類動作/運動行爲。知覺行動理論的意義在於:「環境中的諸多訊息，如視覺流（optical flow），對於觀察者或行動者來說，都是一種處於被動接受（pass-throughability）、不習自得的環境訊號（Kelso, 1995）。」近廿年來蔚爲流行之生物體（organism）、環境（environment）、工作要求（task）三大限制，配合知覺行動工作空間（perception-action work space）及協調模式（coordination mode）綜合學說則是由 Newell（1986）提出；此一「限制─行動」假說，便是目前生態理論較爲完整之理論核心。

在東方來說，談及知覺和行動最著名者，當推十五世紀明代王守仁（即王陽明，1472-1528）所提出的知行合一論。這種以談道德、心性爲基礎、以致於延伸到宇宙人生之哲學觀，雖然並非刻意在談人類運動或動作，但運動或動作之知識學問原本便包含在人類活動的議題中討論，因此以東方相關學理來說，談知行應談及王守仁。然而王守仁之前，與知覺、行動相關的更早期學術理論，應往上溯源自《周易》中之陰陽哲學，談陰陽便是談乾坤，乾天坤地是宇宙人生之基本互動現象，缺一不成宇宙人生；知行理論（或 perception and action）也是這個一元化二元之道，人類動作或運動之知識理論實建構在知行一元論且知行不可偏廢之基礎上。

《周易．繫辭下傳》曰：「古者包犧氏之王天下也，仰則觀象於天，俯則觀法於地，觀鳥獸之文與地之宜，近取諸身，遠取諸物，於是始作八卦，以通神明之德，以類萬物之情。」這「近取諸身，遠取諸物」便是生態理論中談到環境與人類自然經驗交互作用的最佳寫照。而回顧上述各相關理論之演變，可以發現人類動作或運動之產生，皆離不開「知覺與行動」必須共同作用之事實，知覺與行動是一體兩面之事（perception-action coupling）（Magill, 2011），知行的本質如同《易》學的太極陰陽之道一樣，是一元化二物，所謂「《易》有太極，是生兩儀（即乾坤）」，能認知、有行動才算是有意義的人類動作或運動。《周易．繫辭上傳》曰：「乾坤毀，則无以見《易》。《易》不可見，則乾坤或幾乎息矣」。若將乾坤類比成知與行，《易》則可類比成有意義的人類動作，知行能合一，乾坤方成《易》，《易》之道不可謂不大矣。

陸、結　語

《周易》常被視爲只是一部卜筮之典籍【研究者認爲這僅僅是南宋朱熹的個人意見，無奈朱熹卻深刻地影響了數百年來的東方思想】，但在其成書後長達二千年以上的歷史潮流中，它卻不斷地在東西方不同學科知識中被反覆檢驗，於是《易》學演變爲用來推天道以明人事，成爲蘊含高度人類智慧和宇宙哲理的經典典籍。研究者旨在從動作/運動行爲學的變異理論來探討《易》學廣大精微之道，發現《易》學中有許多概念可與變異理論互通交流。綜觀而論，以「《易》一名而含三義之易簡、變易、不易」之觀點，即能統攝解釋本文所提及之四種動作/運動變異性理論，主要闡述包括以下數點：1.「方以類聚，物以群分」可用以說明動作程式理論，甚至是類化動作程式生成之因（不變的特徵以「不易」解）。2.「窮則變，變則通，通則久」與「陰陽消長之道」，可與動力模式理論（即動力系統理論）觸類旁通（變易）。3.透過「其稱名也小，其取類也大」以小喻大、以寡統眾之性質，可解釋自由度理論整合多餘自由度之概念（易簡）。4.「近取諸身，遠取諸物」與「太極生兩儀」之概念，可將生態理論（或知覺行動理論）涵蓋解釋（易簡）。

誠如緒論中所言，研究者認爲將理論進行整合與簡化後可引導科學實驗與研究取向，因此於本文提出以《易》學高度抽象化之哲學思考，可對動作行爲學領域之重要變異性理論產生「統之有宗，會之有元」之統攝解釋。然而《易》學哲理旨在推天道以明人事，即便其可統攝解釋不同學科之理論，研究者亦認爲，哲理思惟可刺激人類思考，並爲科學研究提供基礎理論生成與發展之概略方向及邏輯方法，但任一學術或學科中實際問題之解決，仍應仰賴該學科自身之進步與相關學科之啓發（呂紹綱，2001）。

《易》學之實用處並不限於本文所談理論之相互憑用，《周易》六十四卦明確以時間及空間之變化來論述宇宙具體而微的六十四種重要現象，這與物理學、生物學、宗教學、甚至是哲學等所要探討的終極時空概念，不謀而合；人類動作/運動行爲學亦是宇宙內的基本學問之一，此領域內之研究學者如能在閱讀相關西文文獻之外，對《易》

這部絜淨精微之書留心注意，必能與自然交流、闡發前人所未發之重大發現。

引用文獻

古籍類引用文獻

《周易正義》，（唐）孔穎達撰，重刊宋本《十三經注疏（附校勘記）》，臺北：藝文印書館。

《周易本義》，（宋）朱熹撰，明崇禎十四年（1641）虞山毛氏汲古閣刊本。

《張子全書》〈四部備要・子部〉，（宋）張載著，臺灣：中華書局，卷 12 語錄，頁 4。

《詳註王陽明全集》，（明）王陽明撰，民國二十四年（1935）掃葉山房石印本。

一般引用文獻

呂紹綱（2001）。周易辭典。臺北市：漢藝色研。

徐志銳（1995）。周易大傳新注。臺北市：里仁。

黃慶萱（2007）。新譯乾坤經傳通釋（初版二刷）。臺北市：三民書局。

張春興（2004）。心理學概要。臺北市：東華。

傅佩榮（2005）。傅佩榮解讀易經。臺北縣新店市：立緒文化。

陳秀惠（2005）。量化全身性運動協調之工具 ── 主成份分析。體育學報，38 卷 4 期，頁 39-52。

楊梓楣與卓俊伶（1998）。5-12 歲女童接球動作發展的年齡差異。體育學報，26 輯，頁 81-88。

樊樹志（2009）。國史十六講（修訂版）。北京：中華書局。

賴貴三（2009）。《易》學「生生」之理與其現代應用。中華文化的傳承與拓新 — 經學的流衍與應用國際學術研討會，3 月 13-14 日，銘傳大學應用中國文學系。

Amaral, D. G.（2000a）. The anatomical organization of the central nervous system. In E. R. Kandel, J. H. Schwartz, & T.M. Jessell（Eds.）, *Principle of neural science*（4th ed.）（pp. 317-336）. New York, NY:McGraw-Hill.

Amaral, D. G.（2000b）. The functional organization of perception and movement. In E. R. Kandel, J. H. Schwartz, & T.M. Jessell（Eds.）, *Principle of neural science*（4th ed.）（pp. 337-348）. New York, NY: McGraw-Hill.

Aubin, D.（2004）. Forms of explanations in the Catastrophe Theory of René Thom: Topology, morphogenesis, and structuralism, in M. N. Wise（Ed.）, *Growing explanations: Historical perspective on the sciences of complexity*（pp. 95-130）. Durham: Duke University Press.

Bartlett, F. C.（1932）. *Remembering: A study in experimental and social psychology*. Cambridge: Cambridge University Press.

Bernstein, N. A. et al.（1940）. *Studies of the biodynamics of walking, running, and jumping*. Moscow.

Bernstein, N. A.(1967). *The co-ordination and regulation of movements*. Oxford: Pergamon Press.

Buchanan, M. （2001）. *Ubiquity: The science of history or why the world is simpler than we think*. London: Phoenix Paperback.

Chen, H. H., Liu, Y. T., Mayer- Kress, G., & Newell, K. M. （2005）. Learning the pedalo locomotion task. *Journal of Motor Behavior, 37*, 247-257.

Gibson, J. J. （1950）. *The perception of the visual world*. Boston: Houghton Mifflin.

Gibson, J. J., & Walk, R. D. （1960）. The "visual cliff". *Scientific American, 202*, 64-71.

Gibson, J. J. （1977）. The theory of affordances. In R. Shaw, & J. Bransford（Eds.), *Perceiving, acting, and knowing*（pp. 67-82）. Hillsdale, NJ: Lawrence Erlbaum Associates.

Haken, H. （1996）. *Principles of brain functioning: A synergetic approach to brain activity, behavior and cognition*. Berlin Heidelberg: Springer-Verlag, Germany.

Haken, H. （2000）. *Information and self-organization: A macroscopic approach to complex systems*（2nd ed）. Berlin Heidelberg: Springer-Verlag, Germany.

Haken, H., Kelso, J. A. S., & Bunz, H. （1985）. A theoretical model of phase transitions in human hand movements. *Biological Cybernetics, 51*, 347-356.

Hardy, L., & Parfitt, G. （1991）. A catastrophe model of

anxiety and performance. *British Journal of Psychology, 82*, 163-178.

Hawking, S., & Mlodinow, L. （2008）. *A briefer history of time*. New York, NY: Bantam Dell.

Kahneman, D. （1973）. *Attention and effort*. Englewood Cliffs, NJ: Prentice Hall.

Kalat, J. W. (2005). *Introduction to Psychology* (7th ed.). Belmont, CA: Wadsworth Thomson Learning.

Kaplan, D., & Glass, L. （1995）. *Understanding nonlinear dynamics*. New York, NY: Springer-Verlag.

Kelso, J. A. S.(1995). *Dynamic patterns: The self-organization of brain and behavior*. Cambridge, MA: The MIT Press.

Kiernan, J. A. (1998). *Barr's the human nervous system: An anatomical viewpoint* (7th ed.). Philadelphia, PA: Lippincott-Raven.

Koffka, K. （1935）. *Principles of gestalt psychology*. New York: Harcourt, Brace, & World, Inc.

Kugler, P. N., Kelso, J. A. S., & Turvey, M. T. （1982）. On the control and coordination of naturally developing systems. In J. A. S. Kelso, & J. E. Clark (Ed.), *Development of human motor skill*(pp. 5-78). New York: John Wiley.

Lashley, K. S. (1917). The accuracy of movement in the absence of excitation from the moving organ. *American Journal of Physiology, 43*, 169-194.

Latash, M. L. （Ed.）. （1998）. *Progress in motor control*

(*volume one*): *Bernstein's traditions in movement studies*. Champaign, IL: Human Kinetics.

Lorenz, E. N. (1963). Deterministic nonperiodic flow. *Journal of the Atmospheric Sciences, 20*, 130-141.

Magill, R. A. (2011). *Motor learning and control: Concepts and application* (9th ed.). New York, NY: McGraw-Hill.

Mungello, D. E. (1977). *Leibniz and Confucianism: The search for accord*. Honolulu: Hawaii University Press.

Newell, K. M. (1986). Constraints on the development of coordination. In M. G. Wade & H. T. A. Whiting (Eds.), *Motor development in children: Aspects of coordination and control* (pp. 341-360). Dordrecht: Martinus Nijhoff.

Newell, K. M., & Corcos, D. M. (1993). Issues in variability and motor control. In K. M. Newell, & D. M. Corcos (Eds.), *Variability and motor control* (pp. 1-12). Champaign, IL: Human Kinetics.

Schmidt, R. A. (1975). A schema theory of discrete motor skill learning theory. *Psychological Review, 82*, 225-260.

Shannon, C. E., & Weaver,W. (1949). *The mathematical theory of communication*. New York, NY:Wiley.

Seifert, L., Chollet, D., & Bardy, B. G. (2004). Effect of swimming velocity on arm coordination in the front crawl: A dynamic analysis. *Journal of Sports Sciences, 22*, 651-660.

Sternad, D. （1998）. A dynamic systems perspective to perception and action. *Research Quarterly for exercise and sport, 69*, 319-325.

Wilhelm & Baynes （1967）. *The I Ching or book of changes* （3rd ed.）. Princeton University Press.

Williams, G. P. （1997）. *Chaos theory tamed.* Washington, D. C.: Joseph Henry Press.

Wilson, C., Simpson, S. E., Van Emmerik, R. E. A., & Hamill, J. （2008）. Coordination variability and skill development in expert triple jumpers. *Sports Biomechanics, 7*, 2-9.

第十五章　以《易經》理論爲基礎之人類發展學課程設計與實施

—— 兼論品德教育

賴 世 烱

一、前　言

品德之欲善，習《易》可也。

然而《易經》爲何會與「人類發展學」課程與「品德教育」此二主題產生連結關係呢？先從「人類發展學」課程談起。研究者自 2007 年開始，於任教學校大學部二年級教授一門「人類發展學」之必修課程，該課程提供以下議題廣博之介紹，包括：人類發展學之基本理論與相關研究結果，配以生命週期的時間序，圍繞著胎兒期，嬰兒期及幼兒期，學齡前期、兒童期、青少年期、成人早期、中期及晚期各時期之生理、認知、及社會與人格之發展。課程中主要採用《易經》六十四卦之演變，探討有人類以來的人類發展過程。《易經》六十四卦各有其代表之人類發展之獨特事件，課程大綱依朱熹《周易本義》所定之上下經卦名次序〈六十四卦卦名及次序詳見後述〉，選擇性地找出適合學生程度與需求之人類發展主題，以進行各週次之授課。透過每次上課後讓學生依特定主題撰寫之小論文內容及教學評量之正面回饋，該課程對學生生涯規劃有益且能塑造其正向人格，並已連續五年獲得初步質性課程研究結果之證實。

其次論及《易經》與「品德教育」之關係。研究者於2010年5月及10月間，參與「2010 年台北市青少年希望工程計畫工作坊」，擔任八場與運動心理學有關專題演講之講師，講題爲「運動員的品德教育」。談品德便會談到人格與道德，事實上，這些意義相近之名詞並不僅限於運動員族群之討論，若去除運動員這種稱謂，運動員便是一般人，一般人便是任何人，無怪乎學者林德嘉〈2002〉亦曾主張運動員與企業家之人格特質並無二致。回到品德教育之主題，研究者以《易經》陰陽變異之理，及老子「自然之道」爲主要脈絡以進行品德教育專題演講，正所謂人法地，地法天，天法道，道法自然(《老子·第二十五章》)，運動員或一般人若能效法且尊重大自然，便是個有品德之個體。雖然每次演講時間僅有五十分鐘，聽講人員如高中及國中體育班高年級學生皆能喚醒自身對大自然些許崇敬之感。

根據上述理論基礎與問題背景，設定本研究之目的，旨在依據《易經》理論，發展一套適合現今大學部乃至中等學校學生學習之人類發展學及人生規劃課程，以找出學生應具備之重要學術科能力，並改善及協助學生發展良好之生涯規劃。而在建立良好生涯規劃之同時，品德教育之精神即會內化於學生心中。

二、易經理論基礎介紹

研究者過去之專業學術訓練背景及發表著作〈賴世烱，2004；Lai, Mayer-Kress, & Newell, 2006, 2008; Lai, Mayer-Kress, Sosnoff, & Newell, 2005〉，皆與以下動作變異性理論有關，包括由訊息理論〈Shannon & Weaver, 1949〉所衍申出來的動作程式理論〈motor program-based theory〉、動力模式理論〈dynamical pattern theory〉〈或言動力系統手段〉〈Williams, 1997〉、Bernstein〈1967〉之自由度理論〈degrees of freedom theory〉、及 Newell 與 Corcos〈1993〉之工作要求、生物體、環境等限制之生態理論〈ecological theory〉等。但在大學經歷教授人類發展學、心理學、運動心理學、動作行爲學等課程數年後，發現此類變異性理論雖多，卻都無法跳脫《易經》陰陽一元化二元之哲學，及其所延伸出來之多寡、高低、大小、難易、輕重等相對概念，是以自 2007 年開始從研究所及大學部授課課程中，從事《易經》與變異性理論之比較研究工作。

中國圖書以經史子集分類，經類書籍位居第一，《易經》更是群經之首，研究者認爲，在研讀西學之外，仍應對自身已具備之東學知識深入探究，加之唐相虞世南有言：「不讀《易》不可爲將相」〈南懷瑾，2007〉，這代表《易經》一書是培育大將良相之書，對於人生生涯規劃及探究人類發展，更有莫大之啓示。有鑑於此，本研究以《易經》之原始學理爲主，從《易經》六十四卦中擇取與現今大學乃至於中學學生息息相關之社會議題或現象主題，以增進學生在這些議題上多元之思考觀點。

依朱熹所定之上下經卦名次序來排列，《易經》六十四卦之記誦口訣為:「乾坤屯蒙需訟師，比小畜兮履泰否，同人大有謙豫隨，蠱臨觀兮噬嗑賁，剝復无妄大畜頤，大過坎離三十備；咸恆遯兮及大壯，晉與明夷家人睽，蹇解損益夬姤萃，升困井革鼎震繼，艮漸歸妹豐旅巽，兌渙節兮中孚至，小過既濟兼未濟，是為下經三十四」。這六十四卦裡，每一卦之卦象都與人生存有密切關係〈傅佩榮，2005〉，而根據研究者從事五年相關課程教學之實證成果，歸納出以下十二個與《易經》卦象有關、且可增進學生思考能力之授課主題。各卦卦名、《周易・序卦傳》內容、與其相關課程主題整理如表一。

表一　各卦卦名、《周易．序卦傳》內容、與其對應之課程主題一覽表

次序	卦名	《周易．序卦傳》內容	對應之課程主題
1	六十四卦	《易經》簡介	太極至六十四卦
2	乾坤	有天地，然後萬物生焉	生死與宇宙論
3	屯	屯者，盈也，屯者，物之始生也	經濟論
4	蒙	需者，飲食之道也	教育論
5	師	師者，眾也	法律與戰爭
6	泰否	泰者，通也；物不可以終通，故受之以否	政治與人類盛世
7	同人	與人同者，物必歸焉	社會階層化
8	賁	賁者，飾也	宗教與藝術
9	剝復	剝者，剝也；物不可以終盡，剝窮上反下，故受之以復	歷史與人格發展
10	咸恆	有天地，然後有萬物，有萬物，然後有男女，有男女，然後有夫婦，有夫婦，然後有父子，有父子，然後有君臣，有君臣，然後有上下，有上下，然後禮義有所錯。夫婦之道，不可以不久也，故受之以恆，恆者，久也	感情與婚姻
11	遯	物不可以久居其所，故受之以遯，遯者退也	功成名遂身退
12	既濟未濟	有過物者，必濟，故受之以既濟；物不可窮也，故受之以未濟終焉	人生終點

上述十二個授課主題，係依研究者教授五年人類發展學課程與自學《易經》理論，透過課末學生依特定主題撰寫之小論文內容及教學評量之正面回饋後，所選定出適合學生思考以規劃人生之創見議題。總括來說，一個人若要獲得妥善規劃自身生涯發展之能力，勢必要在特定時間內、對特定知識下一番苦功以求得知的思考與行的實踐。

以下分別就各對應課程主題略作介紹。

1.太極至六十四卦：《周易・繫辭傳》有云：「《易》有太極，是生兩儀，兩儀生四象，四象生八卦，八卦定吉凶，吉凶生大業」。太極基本上是一個空集合或無集合之概念，從中產生一正一負或一陽一陰之兩儀，隨後增為太陽、少陰、少陽、太陰四象，再演變為乾兌離震巽坎艮坤之先天八卦，這八個卦象便是構成宇宙與地球之基本元素，其所對應之大自然物象即是天澤火雷風水山地，此八物之兩兩組合即成為六十四卦。學生透過學會排列八卦卦象之基本原則後，如能瞭解大自然組成之物是如此地有規律，其舉止行為便能多與大自然學習，並建構出個人健全之人格。此外，《易經》本身即是一門專業學問，或許一時間無法專精於《易》，但透過日積月累之宵旰學習，學生亦可將《易經》當作自己的第二專長，進而發揮自身於各專業領域之影響力，鼓勵後學將《易經》與個人生活結合，正向之人生生涯規劃於茲生焉。

2.生死與宇宙論：生前死後之世界雖不可知，但近代物理學已稍解宇宙生成與消滅之道，教導學生有關所居地球與自身生命關係之知識，可擴大其視野與人生格局。

3.經濟論：哈佛大學經濟學教授 Mankiw〈2010〉認為不同年齡階段的學生應該學習以下五種人生課題：經濟學、統計學、金融學、心理學、順從個人意志，前三項課題之基礎便是經濟學方面的觀念。

4.教育論：有鑑於教育為百年大計，許多學生之未來職志確有教育或教練相關工作之考量，因此須介入一談論有關教育、考試、和升學等之主題課程。

5.法律與戰爭：「訟」卦講法律，「師」卦談戰爭，血氣方剛之學生是一群擁有健康體能和身體技能之優秀人材，在古代或較似於學武且具有武德武藝之人，這時便不能不瞭解「止戈爲武」的道理。

6.政治與人類盛世：政治是管理眾人之事，學生中不乏有以服務他人爲職志之人，因此從歷史學正面的角度來教導其認識政治與人類興盛之時代，可喚起學生對國家政治關切之心。

7.社會階層化：社會存在階層或階級，此爲不爭之事實，此主題之設計在於告誡學生社會階層有其流動法則，包括上下流動與平行流動，爲求個體更好之發展，應隨時保有一顆上進之心。

8.宗教與藝術：宗教是有人類以來必然會出現之產物，多認識不同宗教之起源、流派、及宗旨，便可多瞭解世界不同階級、種族、宗教之社會存在價值。以賁卦之文飾概念來說，結合宗教、藝術、與人生相關議題之討論，可提升學生對未來自身專業之認同感。

9.歷史與人格發展：所謂「以史爲鑑，可以知興替」，中國每一朝代之開創皆始自具有特殊人格特質之歷代開國君主，本主題介紹各開國君主之重要史績與其共同人格，學生可藉此培養對成功立業所需之宏觀視野。

10.感情與婚姻：《易經》咸恆卦中談到五倫，如此主題便歸類到人生感情與婚姻議題之認識，學生需要時間與機會瞭解與異性或同性相處之道，從《易》理角度來看人類情感，可獲致較爲中庸與客觀之看法。

11.功成名遂身退：每個人終其一生都在追求個人極致

表現，以運動員爲例，各項賽事的金牌或第一名光環非常令人感到讚嘆，但同時也使人感到迷惑。然而個人狀況再好，比賽不會永遠拿第一名，亦不會永遠不敗，當努力備戰卻要面臨失敗結果時，這需要心性修養訓練，需要一種哲學。《易經》在這方面著墨甚多，可教導學生該如何規劃人生以因應人生起落。

12.人生終點：《易經》最末一卦談的是未濟〈上下經卦名次序〉或歸妹〈分宮卦象次序〉。人一出生，便往死亡之路邁進，想要客觀地看待自已的人生、看待他人的人生，的確需要一種很正向的人生價值觀，《易經》既是群經之首、諸書之源，健全人生哲學與終身價值盡在《易》中，故《易經》正可提供跨越人類生死方面之主題討論。

本研究中用以評估學生是否獲得規劃生涯發展能力之參考指標，可反映在學生於每次課程結束前，針對該課程主題所撰寫之小論文內容上。透過自我報告文字之成熟度，可觀察到學生在不同人生議題方面之個人思想，依此資料加以量化分析，即可從宏觀的角度來探討學生生涯發展之進程爲何。

三、研究方法

本研究之研究方法內容包括：（一）參加者；（二）教學情境與課程使用教材；（三）課程設計與實施；及（四）資料處理與分析。

（一）參加者

本研究以一系列《易經》理論之主題探討介入某大學之人類發展學課程，該課程爲某科系二年級之必修課程，該學系所有當屆學生〈平均年齡爲 19 歲〉皆爲本研究之參加者，自 2008 年起至 2012 年，五年間共有 288 位大二學生修習此課程，分別爲 2008 年 47 位、2009 年 55 位、2010 年 55 位、2011 年 66 位、2012 年 65 位，其男女性別比率約爲男：女＝49：51。

（二）教學情境與課程使用教材

本研究之課程教學情境爲一般具有電子化教學設備之大學教室，學生依一般上課規定到校上課。本研究之課程使用教材，主要爲研究者自行設計之人類發展學講義。此處要補充一點，本研究已跳脫一般以西方價值觀編寫之人類發展學教科書之教材內容，故並不使用坊間名爲人類發展學書籍來進行授課。

（三）課程設計與實施

本研究爲縱貫〈longitudinal〉性質之研究，自 2008 年至 2012 年五年間於每屆大學部二年級下學期安排進行 12 週〈每週 120 分鐘；一學期有 18 週課程，其中 6 週留予期初課程簡介、期中考、期末考、及不可抗力之國定假日或學校活動日〉之《易經》主題課程，各週主題爲：太極至六十四卦〈基本卦象簡介〉、生死與宇宙論〈乾坤〉、經濟論〈屯〉、教育論〈蒙〉、法律與戰爭〈師〉、政治與人類盛世〈泰否〉、社會階層化〈同人〉、宗教與藝術〈賁〉、歷史與人格發展〈剝復〉、感情與婚姻〈咸恆〉、功成名遂身退〈遯〉、及人生終點〈既濟未濟〉。藉由這些主題，引導學生認識人類生涯發展之相關議題，課程結束前並保留 30 分鐘使參加者針對當週特定主題撰寫課堂小論文。各週小論文之題目詳列於表二。

表二　各卦卦名、對應之課程主題、與小論文題目一覽表

次序	卦名	對應之課程主題	小論文題目
1	六十四卦	太極至六十四卦	依六十四卦卦名，寫出相關詞彙
2	乾坤	生死與宇宙論	蠟燭呢?
3	屯	經濟論	依 Phillps Curve 中由上而下的三個點，描述一個社會現象
4	蒙需	教育論	我學英文的過去、現在與未來
5	師	法律與戰爭	試論戰爭之通則
6	泰否	政治與人類盛世	以否泰之道，談一人、事、或物
7	同人	社會階層化	遊民三部曲
8	賁	宗教與藝術	信仰誠可貴，○○價更高（○○為自訂）
9	剝復	歷史與人格發展	從「形成、發展、興盛和衰敗」的觀點談一人、事、或物
10	咸恆	感情與婚姻	不易的○情（○為自訂）
11	遯	功成名遂身退	「人之生也柔弱，其死也堅強。萬物草木之生也柔脆，其死也枯槁。故堅強者死之徒，柔弱者生之徒。是以兵強則不勝，木強則折，強大處下，柔弱處上。」翻譯闡述之。
12	既濟未濟	人生終點	生前惜別會的投影片，須包括「財務與債務分配、與○○的回憶和其他（○○為自訂）

（四）資料處理與分析

由於這是一門必修課程，每年皆由研究者教授同一門課，故其評分標準是固定的，基本上以 12 週小論文之研究者主觀評分〈雖爲研究者主觀，但因皆爲同一人進行評分，故相對而言對學生是一種客觀評分〉佔 60%〈每次小論文之滿分爲 5 分，最低 1 分〉、出席率及上課討論佔 20%、期末 64 卦擇一卦策論撰寫佔 20%〈策論題目請參閱附件一〉。研究者便以此課程期末學期成績爲本研究之觀察變項之得分，以之進行描述性統計分析。此外，2012 年期末授課時，研究者列出上述 12 週主題課程，讓該年度之 65 位學生依自己認爲的課程主題重要程度，排出前五名的順序，依此列舉項目之次數進行期望值相同之卡方考驗，統計顯著水準定爲 α=.05。

四、結果與討論

1.以學期成績爲觀察變項之描述性統計分析

依上述研究方法實施以《易經》理論爲基礎之人類發展學課程，研究者歷經五年〈2008-2012 年分別對應到 962、972、982、992、1002 五個學期〉時間，實際且嚴謹地教授該課程，如將該課程每學期之學期成績依每 5 分爲一區間加以製成長方圖表示，可觀察到一明顯之成績分佈趨勢圖，本人類發展學課程自 2008 年至 2012 年之每年學期成績之結果如圖一所示。

自 962 學期〈即 2008 年〉偏態分配呈現峰頂右偏之負偏態，該偏態其後至 972〈2009 年〉與 982〈2010 年〉學期逐漸往左偏移，使成績低於 85 分者漸漸增加。至 992〈2011 年〉學期時，成績低於 80 分者已超過該學期大二學生總數之 50%，且各區間分數所佔之人數略呈現出機率相等之均勻分佈。之後到了 1002 學期〈即 2012 年 6 月學期末時〉，此直方圖分佈狀態竟呈現出一 W 形之特殊分佈，此結果與大學入學管道越來越多元有關〈大學現有入學方式包括聯合登記分發、技優甄審、繁星甄選、申請入學等〉，同時這也是研究者最擔心的狀況，即一個班級或一個群體裡學生的學習狀況或學業成績，似乎開始出現三極化之現象，在積極進取與一般程度的學習者之外，逐漸產生第三種類型的學生。而這第三類型學生之特質亦是多元的，主要包含以下幾種特質：自我學習成效不佳、無法適應大學授課方式、打工過多、缺乏生活目標乃至不知爲何而戰之消極心態。

2.課程主題重要性評估之卡方考驗分析

研究者讓 100 年度之 65 位學生〈其中 1 位之資料無法採用，故有效資料爲 64 筆〉就本課程之 12 個主題課程，依自己認爲的課程主題重要程度，排出前五名的順序，其選擇結果如表三所示，圖四則爲視覺化的人類發展學之《易》理主題重要程度分佈圖。此處開始進行課程主題重要性評估之論述。被認爲是最重要〈排序爲第 1〉之主題課程有四個：太極至六十四卦、教育論、歷史與人格發展、及人生終點。而總選數次數有顯著效果之主題課程則有六個：經濟論〈反應學生重視金錢之使用〉、教育論〈反應學生認知到教育是改變現狀的方法之一〉、歷史與人格發展〈反應學生意識到盛極而衰之理〉、感情與婚姻〈反應學生需要情感上之慰藉〉、功成名遂身退〈反應學生瞭解急流勇退之理〉、及人生終點〈反應學生瞭解有始便有終之道〉。

表三　12 週易經課程主題重要性評估排序及卡方考驗結果一覽表

主題名稱	對應卦名	選 1 次數	選 2 次數	選 3 次數	選 4 次數	選 5 次數	總選數
太極至六十四卦	六十四卦	8	1	4	2	4	19
生死與宇宙論	乾坤	3	5	3	7	4	22
經濟論	屯	5	5	8	4	4	26
教育論	蒙	8	8	5	8	5	34
法律與戰爭	師	1	3	5	2	3	14
政治與人類盛世	泰否	1	0	1	7	4	13
社會階層化	同人	2	5	3	5	7	22
宗教與藝術	賁	1	2	1	4	5	13
歷史與人格發展	剝復	13	10	5	7	7	42
感情與婚姻	咸恆	3	15	12	4	4	38
功成名遂身退	遯	2	7	8	8	5	30
人生終點	既濟未濟	17	3	9	6	12	47
觀察人數		64	64	64	64	64	320
平均數		7.3	7.45	7.42	6.91	7.41	7.3
標準差		4.09	3.28	3.75	3.44	3.58	3.62
卡方值		56	28.13	23	9.5	12.13	55.45
自由度		11	11	11	11	11	11
漸近顯著性		.000	.002	.018	.576	.354	.000
p 值之顯著		***	***	*			***

*** $p < .001$, * $p < .05$

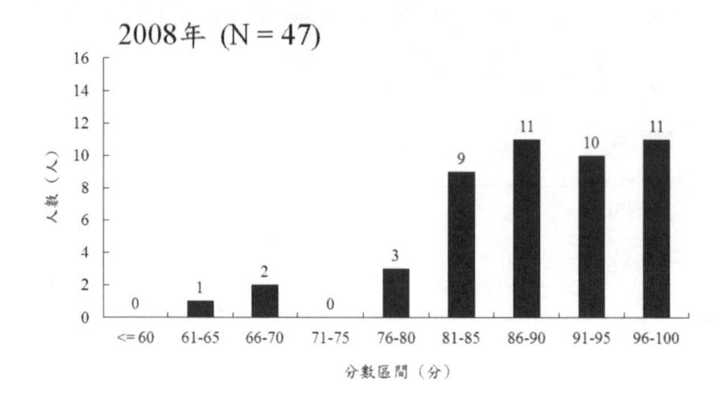
2008年 (N = 47)
人數（人）
16
14
12
10
8
6
4
2
0
0
1
2
0
3
9
11
10
11
<= 60
61-65
66-70
71-75
76-80
81-85
86-90
91-95
96-100
分數區間（分）

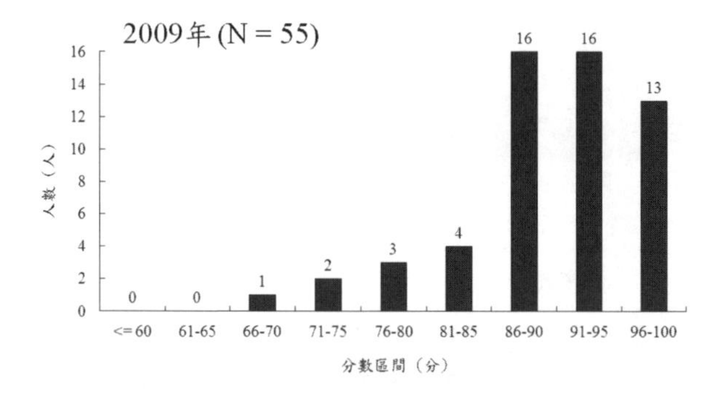
2009年 (N = 55)
人數（人）
16
14
12
10
8
6
4
2
0
0
0
1
2
3
4
16
16
13
<= 60
61-65
66-70
71-75
76-80
81-85
86-90
91-95
96-100
分數區間（分）

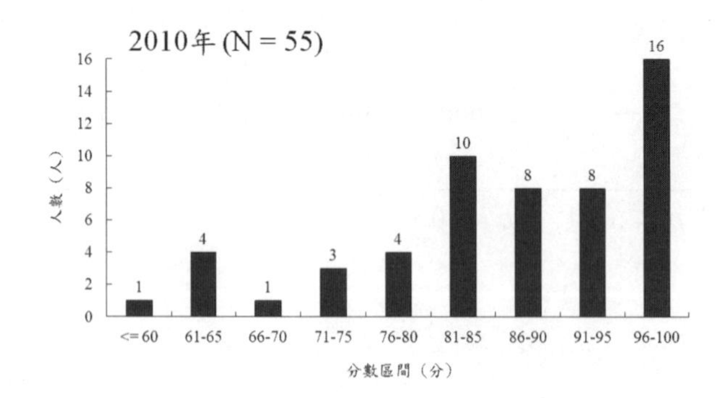
2010年 (N = 55)
人數（人）
16
14
12
10
8
6
4
2
0
1
4
1
3
4
10
8
8
16
<= 60
61-65
66-70
71-75
76-80
81-85
86-90
91-95
96-100
分數區間（分）

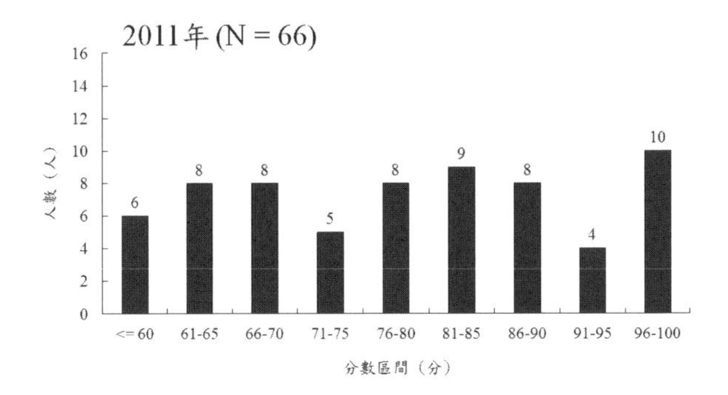

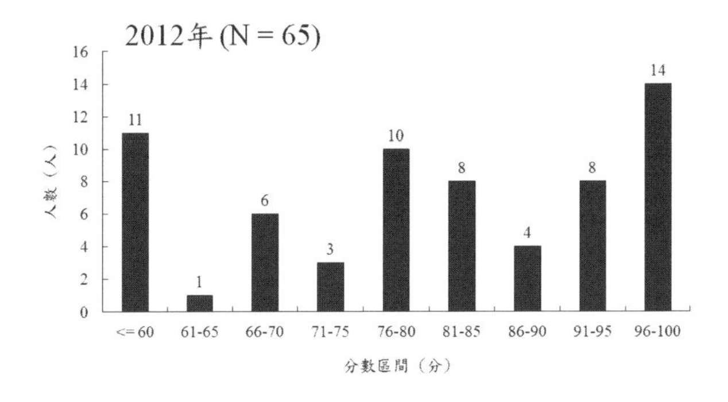

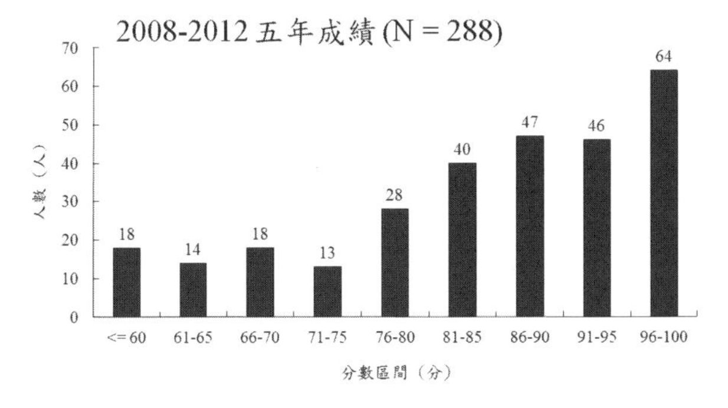

圖一　人類發展學課程自 2008 年至 2012 年之每年學期成績直方圖〈直方圖上方數字為人數〉

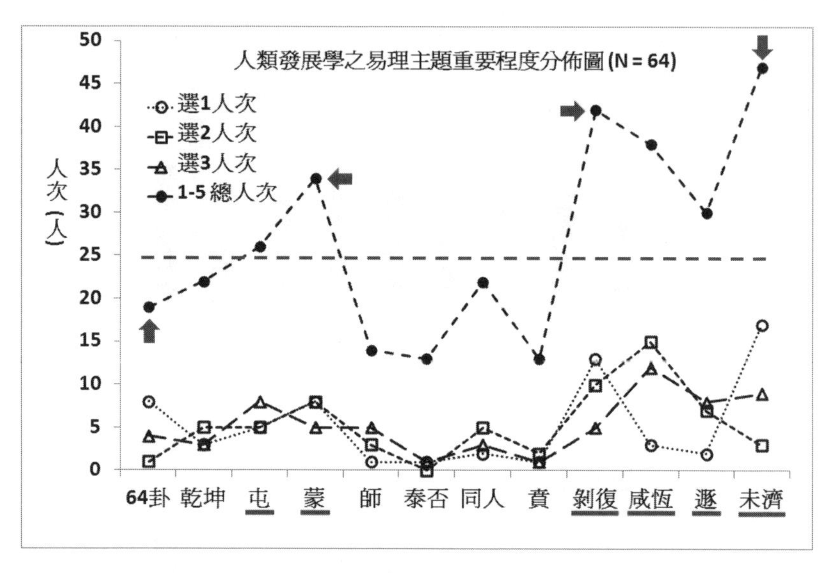

圖二　人類發展學之易理主題重要程度分佈圖（N = 64）

五、結　論

總結前述之結果與討論，本研究提出以下二點結論：

1.本「人類發展學」課程之成績分佈狀況，由 2008 年〈962 學期〉之負偏態分佈，逐漸左偏至 2010 年〈992 學期〉之均勻分佈，最後演變至 2012 年〈1002 學期〉之 W 形分佈。此 W 形分佈突顯出大二學生可分爲三類：積極進取型、一般程度型、與消極心態型。

2.依課程主題重要性評估來推論大學生所應具備之重要學術科能力，至少包括以下六項：反應學生重視金錢使用之經濟學、反應學生認知到改變現狀的方法之一是多接受教育、反應學生意識到盛極而衰道理之歷史學、反應學生需要多種情感慰藉之人際關係體驗、反應學生瞭解急流勇退道理之下臺需要好的身段、及反應學生瞭解有始便有終之死亡教育。

最後亦需提到一點，研究者以《易經》理論爲主軸，已跳脫西方對人類發展學之論述邏輯，因此本「人類發展學」課程較少論及的主題，爲一般西方人類發展學橫向架構中之人類生理發展。研究者學術訓練包含教育學與運動科學，深知生理學相關知識可隸屬於運動科學之知識體系，其專業屬性極高，而人類發展學課程中主要要探討的是人類社會整體之發展過程，因此課程中並未涉及人類生理發展之主題，教師或讀者們如有生理學方面之需知，還請參閱坊間生理學、生理心理學、解剖學、或一般人類發展學教科書，以補闕本課程不足之處。

參考文獻

古籍參考文獻

《老子道德經》，（三國）王弼註，明刊本。

《周易本義》，（宋）朱熹撰，明崇禎十四年（1641）虞山毛氏汲古閣刊本。

中文參考文獻

林德嘉〈2002〉。運動員的人格特質和企業家的創業精神。2002 年學生運動員生涯規劃輔導人員研討會。臺灣運動心理學會。11 月 2、3 日，嘉義中正大學，臺灣。

南懷瑾〈2007〉。易經雜說。臺北市：老古文化。
傅佩榮〈2005〉。傅佩榮解讀易經。臺北縣新店市：立緒文化。
賴世烱〈2004〉。動作學習階段論與動力系統理論之相關探討。成大體育，第 36 卷，第 4 期，14-20。

英文參考文獻

Bernstein, N. A. （1967）. The co-ordination and regulation of movements. Oxford: Pergamon Press.
Lai, S.-C., Mayer-Kress, G., & Newell, K. M （2006）. Information entropy and the variability of space-time movement error. Journal of Motor Behavior, 38, 451-466.
Lai, S.-C., Mayer-Kress, G., & Newell, K. M（2008）. Mutual information in the evolution of trajectories in discrete aiming movement. Nonlinear Dynamics, Psychology, and Life Sciences, 12, 241-259.
Lai, S.-C., Mayer-Kress, G., Sosnoff, J. J., & Newell, K. M.（2005）. Information entropy analysis of discrete aiming movements. Acta Psychologica, 119, 283-304.
Mankiw, N. G.（2010, September 4th）. A Course Load for the Game of Life. The New York Times.
Newell, K. M., & Corcos, D. M.（1993）. Issues in variability and motor control. In K. M. Newell, & D. M. Corcos（Eds.）, Variability and motor control（pp. 1-12）. Champaign, IL: Human Kinetics.

Shannon, C. E., & Weaver, W.（1949）. The mathematical theory of communication. New York, NY: Wiley.

Williams, G. P.（1997）. Chaos theory tamed. Washington, D. C.: Joseph Henry Press.

附錄一：人類發展學之《易經》六十四卦策論彙整

【註：此策論題目亦適合出題於各類試考國文作文考試中】

卦序	卦名	策論	卦序	卦名	策論
1	乾爲天	從群龍無首論分權之道	33	天山遯	從兔死狗烹論明哲保身之道
2	坤爲地	從含章可貞論藏鋒之道	34	雷天大壯	論恃寵而驕，恃物而滿
3	水雷屯	以「即鹿无虞入林中」論創業維艱	35	火地晉	從失得勿憂論積極進取
4	山水蒙	從童蒙之道論柔弱勝剛強	36	地火明夷	論韜光養晦
5	水天需	論靜候	37	風火家人	論修身與齊家
6	天水訟	論作事謀始	38	火澤睽	論同中存異，異中求同
7	地水師	論開國承家，小人勿用	39	水山蹇	從見險能止論反身修德
8	水地比	論二驅以爲度	40	雷水解	論慢藏誨盜，冶容誨淫
9	風天小畜	論千里之行，始於足下	41	山澤損	論損不足以奉有餘
10	天澤履	從視履考祥論回首來時路	42	風雷益	論損有餘而補不足
11	地天泰	論無平不陂，無往不復	43	澤天夬	以慎謀能斷論往不勝爲咎
12	天地否	論天下無道，不可榮以祿	44	天風姤	論與朋友交係存乎一心
13	天火同人	論恩不及於親	45	澤地萃	論積累實力以因應離散聚合之道
14	火天大有	從遏惡揚善論順天應人	46	地風升	以誠於內，行於外論平步青雲之道
15	地山謙	論裒多益寡，稱物平施	47	澤水困	從致命遂志論臨危方殷之道
16	雷地豫	從遲則有悔論安慮得之道	48	水風井	論井養而不窮
17	澤雷隨	從嚮晦入宴息論進與退	49	澤火革	從權變應待時論當變則變
18	山風蠱	論防微杜漸	50	火風鼎	論德薄而位尊
19	地澤臨	論大者宜爲下	51	震爲雷	論處變不驚
20	風地觀	論風行草偃	52	艮爲山	論思不出其位
21	火雷噬嗑	從屨校滅趾論小懲大誡	53	風山漸	從女子出嫁論循序漸進之道
22	山火賁	論以天文察時變，以人文化成天下	54	雷澤歸妹	論承筐無實，刲羊無血
23	山地剝	論厚下安宅	55	雷火豐	論日中則昃，月盈則食
24	地雷復	論迷途知返	56	火山旅	論旅居在外，不忘初衷
25	天雷无妄	從無妄之災論持正以行	57	巽爲風	論處優能下，處劣能遜
26	山天大畜	論博觀而約取，厚積而薄發	58	兌爲澤	論與朋友共
27	山雷頤	論在人者未得，在己者已失	59	風水渙	論分多潤寡
28	澤風大過	從棟橈之象論獨立不改	60	水澤節	論節以養廉
29	坎爲水	論處逆以慎行	61	風澤中孚	論誠爲勤慎之本
30	離爲火	論黃離元吉得中道之理	62	雷山小過	從飛鳥遺之音論宜下不宜上之道
31	澤山咸	論同歸而殊塗，一致而百慮	63	水火既濟	論敬終
32	雷風恆	論逝者如斯，不舍晝夜	64	火水未濟	論慎始

《周易》全文

本書所附錄之《周易》全文版本說明：

現今所見之《易經》，正式名稱爲《周易》，其結構爲卦爻辭部分的「經」，以及屬於解釋文字的「傳」。《易經》一詞可單指經文部分，若加上《易傳》，經傳合稱，則爲《周易》。六十四卦中，從第一卦《乾》卦至第三十卦《離》卦爲上經，第三十一卦《咸》卦至第六十四卦《未濟》卦爲下經。傳文則有根據卦象與卦辭進行詮釋的〈彖傳〉、將卦象分配與自然元素而加以發揮的〈大象傳〉、解釋爻辭的〈小象傳〉、對《乾》、《坤》兩卦特別說明的〈文言〉，以及全盤性地說明《易》學思想的〈繫辭〉、〈說卦〉、〈序卦〉、〈雜卦〉等。而〈彖傳〉、〈大象傳〉、〈小象傳〉、〈繫辭〉各自分爲上下，因此傳文部分總共有十篇，合稱「十翼」。目前的主流看法是，原本作爲占筮之用的《易經》，形成於商朝末年至西周初年這段時期，而《易傳》則陸陸續續在戰國時代晚期至西漢初年完成。戰國時代，《易經》逐漸被儒家當作重要經典，因此也隨之出現了帶有儒家思想色彩，以及仍然包含一些占筮說明的《易傳》。

在漢朝，隨著來自政治力量的儒學制度化，以及民間儒者的教學活動，這種「經一傳十」的《周易》整體結構大致底定，《易經》和《易傳》也被合併爲同一本書。由於經文與傳文的來源畢竟不同，因此雖然被合爲一本，但在內容上還是分開的。到了東漢著名學者鄭玄手上，《彖傳》與《象傳》的內容就被移到所對應的各卦之下，箇中原因可能是在於如此一來在閱讀上較爲方便。[1]接著，魏國學者王弼又將《文言》也放入《乾》、《坤》二卦中，於是乎今日所見之《周易》版本雛形便大致形成了。

唐朝時，爲了讓科舉考試能夠有全國依據的普遍版本，便由孔穎達負責，召集學者們對《周易》、《尚書》、《毛詩》、《禮記》、《左傳》五部經典進行統一的解釋，是爲《五經正義》。對「經」進行的解釋稱爲「傳」，對「傳」進行的解釋稱爲「注」，對「注」的解釋稱爲「疏」，《五經正義》所作的部分即屬於「疏」。其中的《周易正義》，便是依循鄭玄、王弼所定的《周易》編排版本。本書在此所附的《周易》全文，乃依循清朝學者阮元所校刊之《重刊宋本十三經注疏附校勘記》（臺北：藝文印書館，1955 年出版），也就是形成於唐朝的，由王弼作注、孔穎達作疏的《周易》。

到了宋朝，有一股疑經改經的風氣，頗爲盛行。南宋最重要的儒者朱熹，也對《周易》進行解釋，其著作名爲《周易本義》。他根據自己的想法，改動了孔穎達以來所

1 《三國志·魏志·高貴鄉公紀》記載：「帝（曹髦）又問曰：『孔子作〈彖〉、〈象〉，鄭玄作注，雖聖賢不同，其所釋經義一也。今〈彖〉、〈象〉不與經文相連，而注連之，何也？』俊（淳于俊）對曰：『鄭玄合〈彖〉、〈象〉於經者，欲使學者尋省易了也。』」見〔魏〕陳壽著，〔晉〕裴松之注：《三國志》，據楊家駱主編：《新校本三國志注附索引》（臺北：鼎文書局，1991 年），頁 136。

流傳的《周易》，而形成不同的版本。朱熹《周易本義》版本中，一個明顯的特徵是〈彖傳〉、〈大象傳〉、〈小象傳〉、〈文言〉被重新放回經文之後，而非分別附於各卦之中。還有將「十翼」各部分均加一「傳」字，成爲「繫辭傳」、「說卦傳」、「文言傳」等等。而最重要的一點，是他更動了〈繫辭〉內的篇章順序，調整成他心目中合理的方式。例如孔穎達版本的〈繫辭〉，上傳分爲十二章，下傳分爲九章；朱熹版本中則上下皆爲十二章，如此一來則分章方式勢必有所差異。又例如其中的「天數五，地數五……成變化而行鬼神也」這個部分，被朱熹移至「大衍之數五十」之前，且將「天一，地二……天九，地十」部分又移至「天數五」之前。

朱熹的再傳弟子董楷，將北宋重要學者程頤的《易程傳》與朱熹的《周易本義》相結合，編成一本《周易傳義附錄》。但是《易程傳》依循王弼的作法，也就是將同一卦的經文與傳文放在一起，而董楷的《周易傳義附錄》又按照《易程傳》的結構，導致其中《周易本義》的經傳分離作法又被推翻了。由於自元代以降，朱子學成爲科舉標準的緣故，而使得閱讀《周易傳義附錄》的情形甚爲普遍。現今所見之《周易本義》，仍然維持著董楷所造成的經傳合一形態，儘管與此書原貌不同，而變得與王弼、孔穎達版本相似，但不可否認地，也有方便閱讀的功能。

因此，現今所見之《周易》，主要有兩種不同的系統，分別屬於王弼、孔穎達的，以及朱熹的版本。而重要差異便在於〈繫辭〉結構的安排。本書之所以選擇以《十三經注疏》版本，也就是王弼、孔穎達系統的原文來呈現，並非是認爲此種結構絕對正確、朱熹之說不足採信，而是試圖呈現相對而言較早期所定型的《周易》面貌，讓讀者有個初步的完整參考。若讀者有興趣，可再閱讀朱熹《周易本義》所作的新編排，以擇取個人喜好之閱讀順序。

上經

第 1 卦　乾爲天 ䷀

乾：元享，利貞。

初九：潛龍勿用。九二：見龍在田，利見大人。九三：君子終日乾乾，夕惕若，厲，无咎。九四：或躍在淵，无咎。九五：飛龍在天，利見大人。上九：亢龍有悔。用九：見羣龍无首，吉。

《彖》曰：大哉乾元，萬物資始，乃統天。雲行雨施，品物流形，大明終始，六位時成，時乘六龍以御天。乾道變化，各正性命。保合大和，乃利貞。首出庶物，萬國咸寧。

《象》曰：天行健，君子以自強不息。

潛龍勿用，陽在下也。見龍在田，德施普也。終日乾乾，反復道也。或躍在淵，進无咎也。飛龍在天，大人造也。亢龍有悔，盈不可久也。用九，天德不可爲首也。

《文言》曰：元者善之長也，亨者嘉之會也，利者義之和也，貞者事之幹也。君子體仁足以長人，嘉會足以合禮，利物足以和義，貞固足以幹事。君子行此四德者，故曰「乾元亨利貞」。初九曰「潛龍勿用」，何謂也？子曰：「龍德而隱者也。不易乎世，不成乎名。遯世无悶，不見是而无悶。樂則行之，憂則違之，確乎其不可拔，潛龍也。」九二曰「見龍在田，利見大人」，何謂也？子曰：「龍德而正中者也。庸言之信，庸行之謹，閑邪存其誠，善世而不伐，德博而化。《易》曰「見龍在田，利見大人」，君德也。九三曰「君子終日乾乾，夕惕若，厲，无咎」，何謂也？子曰：「君子進德脩業。忠信，所以進德也。脩辭立其誠，所以居業也。知至至之，可與幾也。知終終之，可與存義也。是故居上位而不驕，在下位而不憂。故乾乾因其時而惕，雖危无咎矣。」九四曰「或躍在淵，无咎」，何謂也？子曰：「上下无常，非爲邪也。進退无恆，非離羣也。君子進德脩業，欲及時也，故无咎。」九五曰「飛龍在天，利見大人」，何謂也？子曰：「同聲相應，同氣相求。水流溼，火就燥。雲從龍，風從虎。聖人作而萬物覩。本乎天者親上，本乎地者親下，則各從其類也。」上九曰「亢龍有悔」，何謂也？子曰：「貴而无位，高而无民，賢人在下位而无輔，是以動而有悔也。」潛龍勿用，下也。見龍在田，時舍也。終日乾乾，行事也。或躍在淵，自試也。飛龍在天，上治也。亢龍有悔，窮之災也。乾元用九，天下治也。潛龍勿用，陽氣潛藏。見龍在田，天下文明。終日乾乾，與時偕行。或躍在淵，乾道乃革。飛龍在天，乃位乎天德。亢龍有悔，與時偕極。乾元用九，乃見天則。乾元者。始而亨者也。利貞者，性情也。乾始能以美利利天下，不言所利，大矣哉。大哉乾乎！剛健中正，純粹精也。六爻發揮，旁通情也。時乘六龍，以御天也。雲行雨施，天下平也。君子以成德爲行，日可見之行也。潛之爲言也，隱而未見，行而未成，是以君子弗用也。君子學以聚之，問以辯之，寬以居之，仁以行之。《易》曰「見龍在田，利見大人」，君德也。九三重剛而不中，上不在天，下不在田，故乾乾因其時而惕，雖危无咎矣。九四重剛而不中，上不在天，下不在田，中不在人，故或之。或之者，疑之也。故无咎。夫大人者與天地合其德，與日月合其明，與四時合其序，與鬼神合其吉凶。先天而天弗違，後天而奉天時。天且弗違，而況於人乎？況於鬼神乎？亢之爲言也，知進而不知退，知存而不知亡，知得而不知喪。其唯聖人乎！知進退存亡而不失其正者，其唯聖人乎！

第 2 卦　坤爲地 ䷁

坤：元亨，利牝馬之貞。君子有攸往，先迷後得主。利西南得朋，東北喪朋。安貞吉。

《彖》曰：至哉坤元，萬物資生，乃順承天。坤厚載物，德合无疆，含弘光大，品物咸亨。牝馬地類，行地无疆，柔順利貞。君子攸行，先迷失道，後順得常。西南得朋，乃與類行。東北喪朋，乃終有慶。安貞之吉，應地无疆。

《象》曰：地勢坤，君子以厚德載物。

初六：履霜堅冰至。《象》曰：履霜堅冰，陰始凝也。馴致其道，至堅冰也。六二：直方大，不習无不利。《象》曰：六二之動，直以方也。不習无不利，地道光也。六三：含章可貞，或從王事，无成有終。《象》曰：含章可貞，以時發也。或從王事，知光大也。六四：括囊，无咎无譽。《象》曰：括囊无咎，慎不害也。六五：黃裳，元吉。《象》

曰：黃裳元吉，文在中也。上六：龍戰于野，其血玄黃。《象》曰：龍戰于野，其道窮也。用六：利永貞。《象》曰：用六永貞，以大終也。

《文言》曰：坤至柔而動也剛，至靜而德方，後得主而有常，含萬物而化光。坤道其順乎，承天而時行。積善之家，必有餘慶。積不善之家，必有餘殃。臣弒其君，子弒其父，非一朝一夕之故，其所由來者漸矣，由辯之不早辯也。《易》曰「履霜堅冰至」，蓋言順也。直，其正也。方，其義也。君子敬以直內，義以方外，敬義立而德不孤。直方大，不習无不利，則不疑其所行也。陰雖有美，含之以從王事，弗敢成也。地道也，妻道也，臣道也。地道無成，而代有終也。天地變化，草木蕃。天地閉，賢人隱。《易》曰「括囊，无咎无譽」，蓋言謹也。君子黃中通理，正位居體，美在其中，而暢於四支，發於事業，美之至也。陰疑於陽必戰，爲其嫌於无陽也，故稱龍焉。猶未離其類也，故稱血焉。夫玄黃者，天地之雜也。天玄而地黃。

第3卦　水雷屯 ䷂

屯：元亨，利貞，勿用有攸往，利建侯。

《彖》曰：屯，剛柔始交而難生，動乎險中，大亨貞。雷雨之動滿盈，天造草昧，宜建侯而不寧。

《象》曰：雲雷，屯，君子以經綸。

初九：磐桓，利居貞，利建侯。《象》曰：雖磐桓，志行正也。以貴下賤，大得民也。六二：屯如邅如，乘馬班如，匪寇婚媾。女子貞不字，十年乃字。《象》曰：六二之難，乘剛也。十年乃字，反常也。六三：即鹿无虞，惟入于林中。君子幾不如舍，往吝。《象》曰：即鹿无虞，以從禽也。君子舍之，往吝窮也。六四：乘馬班如，求婚媾，往吉，无不利。《象》曰：求而往，明也。九五：屯其膏，小貞吉，大貞凶。《象》曰：屯其膏，施未光也。上六：乘馬班如，泣血漣如。《象》曰：泣血漣如，何可長也。

第 4 卦　山水蒙 ䷃

蒙：亨。匪我求童蒙，童蒙求我。初筮告，再三瀆，瀆則不告。利貞。

《彖》曰：蒙，山下有險，險而止蒙。蒙亨，以亨行，時中也。匪我求童蒙，童蒙求我，志應也。初筮告，以剛中也。再三瀆，瀆則不告，瀆蒙也。蒙以養正，聖功也。

《象》曰：山下出泉，蒙，君子以果行育德。

初六：發蒙，利用刑人，用說桎梏，以往吝。《象》曰：利用刑人，以正法也。九二：包蒙，吉。納婦吉，子克家。《象》曰：子克家，剛柔節也。六三：勿用取女，見金夫，不有躬，无攸利。《象》曰：勿用取女，行不順也。六四：困蒙，吝。《象》曰：困蒙之吝，獨遠實也。六五：童蒙，吉。《象》曰：童蒙之吉，順以巽也。上九：擊蒙，不利為寇，利禦寇。《象》曰：利用禦寇，上下順也。

第 5 卦　水天需 ䷄

需：有孚，光亨，貞吉，利涉大川。

《彖》曰：需，須也，險在前也。剛健而不陷，其義不困窮矣。需，有孚。光亨，貞吉。位乎天位，以正中也。利涉大川，往有功也。

《象》曰：雲上於天，需，君子以飲食宴樂。

初九：需于郊，利用恆，无咎。《象》曰：需于郊，不犯難行也。利用恆无咎，未失常也。九二：需于沙，小有言，終吉。《象》曰：需于沙，衍在中也。雖小有言，以終吉也。九三：需于泥，致寇至。《象》曰：需于泥，災在外也。自我致寇，敬慎不敗也。六四：需于血，出自穴。《象》曰：需于血，順以聽也。九五：需于酒食，貞吉。《象》曰：酒食貞吉，以中正也。上六：入于穴，有不速之客三人來，敬之終吉。《象》曰：不速之客來，敬之終吉。雖不當位，未大失也。

第 6 卦　天水訟 ䷅

訟：有孚，窒惕中吉，終凶。利見大人，不利涉大川。

《彖》曰：訟，上剛下險，險而健，訟。訟，有孚，窒惕中吉，剛來而得中也。終凶，訟不可成也。利見大人，尚中正也。不利涉大川，入于淵也。

《象》曰：天與水違行，訟，君子以作事謀始。

初六：不永所事，小有言，終吉。《象》曰：不永所事，訟不可長也。雖小有言，其辯明也。九二：不克訟，歸而逋其邑人三百戶，无眚。《象》曰：不克訟，歸逋竄也。自下訟上，患至掇也。六三：食舊德，貞厲，終吉。或從王事，无成。《象》曰：食舊德，從上吉也。九四：不克訟，復即命渝，安貞吉。《象》曰：復即命渝，安貞不失也。九五：訟，元吉。《象》曰：訟元吉，以中正也。上九：或錫之鞶帶，終朝三褫之。《象》曰：以訟受服，亦不足敬也。

第7卦　地水師　䷆

師：貞，丈人吉，无咎。

《彖》曰：師，眾也。貞，正也。能以眾正，可以王矣。剛中而應，行險而順，以此毒天下，而民從之，吉又何咎矣。

《象》曰：地中有水，師，君子以容民畜眾。

初六：師出以律，否臧凶。《象》曰：師出以律，失律凶也。九二：在師中，吉，无咎，王三錫命。《象》曰：在師中吉，承天寵也。王三錫命，懷萬邦也。六三：師或輿尸，凶。《象》曰：師或輿尸，大无功也。六四：師左次：无咎。《象》曰：左次无咎，未失常也。六五：田有禽，利執言，无咎。長子帥師，弟子輿尸，貞凶。《象》曰：長子帥師，以中行也。弟子輿尸，使不當也。上六：

大君有命，開國承家，小人勿用。《象》曰：大君有命，以正功也。小人勿用，必亂邦也。

第8卦　水地比 ䷇

比：吉，原筮，元永貞，无咎。不寧方來，後夫凶。

《彖》曰：比，吉也，比輔也，下順從也。原筮，元永貞，无咎，以剛中也。不寧方來，上下應也。後夫凶，其道窮也。

《象》曰：地上有水，比，先王以建萬國，親諸侯。

初六：有孚比之，无咎。有孚盈缶，終來有它，吉。《象》曰：比之初六，有它吉也。六二：比之自內，貞吉。《象》曰：比之自內，不自失也。六三：比之匪人。《象》曰：比之匪人，不亦傷乎。六四：外比之，貞吉。《象》曰：外比於賢，以從上也。九五：顯比，王用三驅，失前禽，邑人不誡，吉。《象》曰：顯比之吉，位正中也。舍逆取順，失前禽也。邑人不誡，上使中也。上六：比之无首，凶。《象》曰：比之无首，无所終也。

第9卦　風天小畜 ䷈

小畜：亨，密雲不雨，自我西郊。

《彖》曰：小畜，柔得位而上下應之曰小畜。健而巽，剛中而志行，乃亨。密雲不雨，尚往也。自我西郊，施未行也。

《象》曰：風行天上，小畜，君子以懿文德。

初九：復自道，何其咎，吉。《象》曰：復自道，其義吉也。九二：牽復，吉。《象》曰：牽復在中，亦不自失也。九三：輿說輻，夫妻反目。《象》曰：夫妻反目，不能正室也。六四：有孚，血去惕出，无咎。《象》曰：有孚惕出，上合志也。九五：有孚攣如，富以其鄰。《象》曰：有孚攣如，不獨富也。上九：既雨既處，尚德載，婦貞厲。月幾望，君子征凶。《象》曰：既雨既處，德積載也。君子征凶，有所疑也。

第10卦 天澤履 ䷉

履虎尾，不咥人，亨。

《彖》曰：履，柔履剛也。說而應乎乾，是以履虎尾，不咥人，亨。剛中正，履帝位而不疚，光明也。

《象》曰：上天下澤，履，君子以辯上下，定民志。

初九：素履，往无咎。《象》曰：素履之往，獨行願也。九二：履道坦坦，幽人貞吉。《象》曰：幽人貞吉，中不自亂也。六三：眇能視，跛能履，履虎尾，咥人，凶。武人爲于大君。《象》曰：眇能視，不足以有明也。跛能履，不足以與行也。咥人之凶，位不當也。武人爲于大君，志剛也。九四：履虎尾，愬愬，終吉。《象》曰：愬愬終吉，志行也。九五：夬履，貞厲。《象》曰：夬履貞厲，位正當也。上九：視履考祥，其旋元吉。《象》曰：元吉在上，大有慶也。

第 11 卦　地天泰 ䷊

泰：小往大來，吉，亨。

《彖》曰：泰，小往大來，吉，亨，則是天地交而萬物通也，上下交而其志同也。內陽而外陰，內健而外順，內君子而外小人。君子道長，小人道消也。

《象》曰：天地交，泰，后以財成天地之道，輔相天地之宜，以左右民。

初九：拔茅茹以其彙，征吉。《象》曰：拔茅征吉，志在外也。九二：包荒，用馮河，不遐遺，朋亡，得尚于中行。《象》曰：包荒得尚于中行，以光大也。九三：无平不陂，无往不復，艱貞，无咎，勿恤其孚，于食有福。《象》曰：无往不復，天地際也。六四：翩翩，不富以其鄰，不戒以孚。《象》曰：翩翩不富，皆失實也。不戒以孚，中心願也。六五：帝乙歸妹，以祉元吉。《象》曰：以祉元吉，中以行願也。上六：城復于隍，勿用師。自邑告命，貞吝。《象》曰：城復于隍，其命亂也。

第 12 卦　天地否 ䷋

否之匪人，不利君子貞，大往小來。

《彖》曰：否之匪人，不利君子貞，大往小來，則是天地不交而萬物不通也，上下不交而天下无邦也。內陰而外陽，內柔而外剛，內小人而外君子，小人道長，君子道消也。

《象》曰：天地不交，否，君子以儉德辟難，不可榮以祿。

初六：拔茅茹以其彙，貞吉，亨。《象》曰：拔茅貞吉，志在君也。六二：包承，小人吉，大人否，亨。《象》曰：大人否亨，不亂羣也。六三：包羞。《象》曰：包羞，位不當也。九四：有命无咎，疇離祉。《象》曰：有命无咎，志行也。九五：休否，大人吉。其亡其亡，繫于苞桑。《象》曰：大人之吉，位正當也。上九：傾否，先否後喜。《象》曰：否終則傾，何可長也。

第 13 卦 天火同人 ䷌

同人于野，亨，利涉大川，利君子貞。

《彖》曰：同人，柔得位得中而應乎乾，曰同人。同人曰「同人于野，亨，利涉大川」，乾行也。文明以健，中正而應，君子正也，唯君子爲能通天下之志。

《象》曰：天與火，同人，君子以類族辨物。

初九：同人于門，无咎。《象》曰：出門同人，又誰咎也。六二：同人于宗，吝。《象》曰：同人于宗，吝道也。九三：伏戎于莽，升其高陵，三歲不興。《象》曰：伏戎于莽，敵剛也。三歲不興，安行也。九四：乘其墉，弗克攻，吉。《象》曰：乘其墉，義弗克也。其吉，則困而反則也。九五：同人先號咷而後笑，大師克相遇。《象》曰：同人之先，以中直也。大師相遇，言相克也。上九：同人于郊，无悔。《象》曰：同人于郊，志未得也。

第 14 卦　火天大有　䷍

大有：元亨。

《彖》曰：大有，柔得尊位大中，而上下應之曰大有。其德剛健而文明，應乎天而時行，是以元亨。

《象》曰：火在天上，大有，君子以遏惡揚善，順天休命。

初九：无交害，匪咎，艱則无咎。《象》曰：大有初九，无交害也。九二：大車以載，有攸往，无咎。《象》曰：大車以載，積中不敗也。九三：公用亨于天子，小人弗克。《象》曰：公用亨于天子，小人害也。九四：匪其彭，无咎。《象》曰：匪其彭无咎。明辨晢也。六五：厥孚交如，威如，吉。《象》曰：厥孚交如，信以發志也。威如之吉，易而无備也。上九：自天祐之，吉，无不利。《象》曰：大有上吉，自天祐也。

第 15 卦　地山謙　䷎

謙：亨，君子有終。

《彖》曰：謙，亨，天道下濟而光明，地道卑而上行。天道虧盈而益謙，地道變盈而流謙，鬼神害盈而福謙，人道惡盈而好謙。謙尊而光，卑而不可踰，君子之終也。

《象》曰：地中有山，謙，君子以裒多益寡，稱物平施。

初六：謙謙君子，用涉大川，吉。《象》曰：謙謙君子，卑以自牧也。六二：鳴謙，貞吉。《象》曰：鳴謙貞吉，中心得也。九三：勞謙，君子有終，吉。《象》曰：勞謙君子，萬民服也。六四：无不利，撝謙。《象》曰：无不利撝謙，不違則也。六五：不富以其鄰，利用侵伐，无不利。《象》曰：利用侵伐，征不服也。上六：鳴謙，利用行師征邑國。《象》曰：鳴謙，志未得也。可用行師，征邑國也。

第 16 卦　雷地豫 ䷏

豫：利建侯行師。

《彖》曰：豫，剛應而志行，順以動，豫。豫順以動，故天地如之，而況建侯行師乎？天地以順動，故日月不過而四時不忒。聖人以順動，則刑罰清而民服。豫之時義大矣哉。

《象》曰：雷出地奮，豫，先王以作樂崇德，殷薦之上帝，以配祖考。

初六：鳴豫，凶。《象》曰：初六鳴豫，志窮凶也。六二：介于石，不終日，貞吉。《象》曰：不終日貞吉，以中正也。六三：盱豫，悔遲有悔。《象》曰：盱豫有悔，位不當也。九四：由豫，大有得，勿疑，朋盍簪。《象》曰：由豫大有得，志大行也。六五：貞疾，恆不死。《象》曰：六五貞疾，乘剛也。恆不死，中未亡也。上六：冥豫，成有渝，无咎。《象》曰：冥豫在上。何可長也。

第 17 卦 澤雷隨 ䷐

隨：元亨，利貞，无咎。

《彖》曰：隨，剛來而下柔，動而說。隨，大亨，貞，无咎，而天下隨時。隨時之義大矣哉。

《象》曰：澤中有雷，隨，君子以嚮晦入宴息。

初九：官有渝，貞吉，出門交有功。《象》曰：官有渝，從正吉也。出門交有功，不失也。六二：係小子，失丈夫。《象》曰：係小子，弗兼與也。六三：係丈夫，失小子，隨有求得，利居貞。《象》曰：係丈夫，志舍下也。九四：隨有獲，貞凶。有孚在道以明，何咎。《象》曰：隨有獲，其義凶也。有孚在道，明功也。九五：孚于嘉，吉。《象》曰：孚于嘉吉，位正中也。上六：拘係之，乃從維之。王用亨于西山。《象》曰：拘係之，上窮也。

第 18 卦 山風蠱 ䷑

蠱：元亨，利涉大川。先甲三日，後甲三日。

《彖》曰：蠱，剛上而柔下，巽而止，蠱，蠱元亨而天下治也。利涉大川，往有事也。先甲三日，後甲三日，終則有始，天行也。

《象》曰：山下有風，蠱，君子以振民育德。

初六：幹父之蠱，有子，考无咎，厲，終吉。《象》曰：幹父之蠱，意承考也。九二：幹母之蠱，不可貞。《象》曰：幹母之蠱，得中道也。九三：幹父之蠱，小有悔，无大咎。《象》曰：幹父之蠱，終无咎也。六四：裕父之蠱，往見吝。《象》曰：裕父之蠱，往未得也。六五：幹父之蠱，用譽。《象》曰：幹父用譽，承以德也。上九：不事王侯，高尚其事。《象》曰：不事王侯，志可則也。

第 19 卦 地澤臨 ䷒

臨：元亨，利貞，至于八月有凶。

《彖》曰：臨，剛浸而長，說而順，剛中而應，大亨以正，天之道也。至于八月有凶，消不久也。

《象》曰：澤上有地，臨，君子以教思无窮，容保民无疆。

初九：咸臨，貞吉。《象》曰：咸臨貞吉，志行正也。九二：咸臨，吉，无不利。《象》曰：咸臨吉无不利，未順命也。六三：甘臨，无攸利，既憂之，无咎。《象》曰：甘臨，位不當也。既憂之，咎不長也。六四：至臨，无咎。《象》曰：至臨无咎，位當也。六五：知臨，大君之宜，吉。《象》曰：大君之宜，行中之謂也。上六：敦臨，吉，无咎。《象》曰：敦臨之吉，志在內也。

第 20 卦 風地觀 ䷓

觀：盥而不薦，有孚顒若。

《彖》曰：大觀在上，順而巽，中正以觀天下。觀，盥而不薦，有孚顒若，下觀而化也。觀天之神道，而四時不忒。聖人以神道設教，而天下服矣。

《象》曰：風行地上，觀，先王以省方觀民設教。

初六：童觀，小人无咎，君子吝。《象》曰：初六童觀，小人道也。六二：闚觀，利女貞。《象》曰：闚觀女貞，亦可醜也。六三：觀我生，進退。《象》曰：觀我生進退，未失道也。六四：觀國之光，利用賓于王。《象》曰：觀國之光，尚賓也。九五：觀我生，君子无咎。《象》曰：觀我生，觀民也。上九：觀其生，君子无咎。《象》曰：觀其生，志未平也。

第 21 卦 火雷噬嗑 ䷔

噬嗑：亨，利用獄。

《彖》曰：頤中有物曰噬嗑。噬嗑而亨，剛柔分，動而明，雷電合而章，柔得中而上行。雖不當位，利用獄也。

《象》曰：雷電，噬嗑，先王以明罰敕法。

初九：屨校滅趾，无咎。《象》曰：屨校滅趾，不行也。六二：噬膚滅鼻，无咎。《象》曰：噬膚滅鼻，乘剛也。六三：噬腊肉，遇毒，小吝，无咎。《象》曰：遇毒，位不當也。九四：噬乾胏，得金矢，利艱貞，吉。《象》曰：利艱貞吉，未光也。六五：噬乾肉，得黃金，貞厲，无咎。《象》曰：貞厲无咎，得當也。上九：何校滅耳，凶。《象》曰：何校滅耳，聰不明也。

第 22 卦 山火賁 ䷕

賁：亨，小利有攸往。

《彖》曰：賁，亨，柔來而文剛，故亨。分剛上而文柔，故小利有攸往，天文也。文明以止，人文也。觀乎天文，以察時變。觀乎人文，以化成天下。

《象》曰：山下有火，賁，君子以明庶政，无敢折獄。

初九：賁其趾，舍車而徒。《象》曰：舍車而徒，義弗乘也。六二：賁其須。《象》曰：賁其須，與上興也。九三：賁如濡如，永貞吉。《象》曰：永貞之吉，終莫之陵也。六四：賁如皤如，白馬翰如，匪寇婚媾。《象》曰：六四當位，疑也。匪寇婚媾，終无尤也。六五：賁于丘園，束帛戔戔，吝，終吉。《象》曰：六五之吉，有喜也。上九：白賁，无咎。《象》曰：白賁无咎，上得志也。

第 23 卦 山地剝 ䷖

剝：不利有攸往。

《彖》曰：剝，剝也。柔變剛也。不利有攸往，小人長也。順而止之，觀象也。君子尚消息盈虛，天行也。

《象》曰：山附于地，剝，上以厚下安宅。

初六：剝牀以足，蔑貞，凶。《象》曰：剝牀以足，以滅下也。六二：剝牀以辨，蔑貞，凶。《象》曰：剝牀以辨，未有與也。六三：剝之，无咎。《象》曰：剝之无咎，失上下也。六四：剝牀以膚，凶。《象》曰：剝牀以膚，切近災也。六五：貫魚，以宮人寵，无不利。《象》曰：以宮人寵，終无尤也。上九：碩果不食，君子得輿，小人剝廬。《象》曰：君子得輿，民所載也。小人剝廬，終不可用也。

第 24 卦 地雷復 ䷗

復：亨，出入无疾，朋來无咎，反復其道，七日來復，利有攸往。

《彖》曰：復，亨，剛反動而以順行，是以出入无疾，朋來无咎。反復其道，七日來復，天行也。利有攸往，剛長也。復其見天地之心乎。

《象》曰：雷在地中，復，先王以至日閉關，商旅不行，后不省方。

初九：不遠復，无祇悔，元吉。《象》曰：不遠之復，以脩身也。六二：休復，吉。《象》曰：休復之吉，以下仁也。六三：頻復，厲，无咎。《象》曰：頻復之厲，義无咎也。六四：中行獨復。《象》曰：中行獨復，以從道也。六五：敦復，无悔。《象》曰：敦復无悔，中以自考也。上六：迷復，凶，有災眚。用行師終有大敗以其國君，凶，至于十年不克征。《象》曰：迷復之凶，反君道也。

第 25 卦　天雷无妄 ䷘

无妄：元亨，利貞，其匪正，有眚，不利有攸往。

《彖》曰：无妄，剛自外來，而爲主於內，動而健，剛中而應，大亨以正，天之命也。其匪正，有眚，不利有攸往，无妄之往，何之矣。天命不祐，行矣哉。

《象》曰：天下雷行，物與无妄，先王以茂對時育萬物。

初九：无妄，往吉。《象》曰：无妄之往，得志也。六二：不耕穫，不菑畬，則利有攸往。《象》曰：不耕穫，未富也。六三：无妄之災，或繫之牛，行人之得，邑人之災。《象》曰：行人得牛，邑人災也。九四：可貞，无咎。《象》曰：可貞无咎，固有之也。九五：无妄之疾，勿藥有喜。《象》曰：无妄之藥，不可試也。上九：无妄，行有眚，无攸利。《象》曰：无妄之行，窮之災也。

第 26 卦　山天大畜 ䷙

大畜：利貞，不家食，吉，利涉大川。

《彖》曰：大畜，剛健篤實輝光，日新其德。剛上而尙賢，能止健，大正也。不家食，吉，養賢也。利涉大川，應乎天也。

《象》曰：天在山中，大畜，君子以多識前言往行，以畜其德。

初九：有厲，利已。《象》曰：有厲利已，不犯災也。九二：輿說輹。《象》曰：輿說輹，中无尤也。九三：良馬逐，利艱貞。曰閑輿衛，利有攸往。《象》曰：利有攸往，上合志也。六四：童牛之牿，元吉。《象》曰：六四元吉，有喜也。六五：豶豕之牙，吉。《象》曰：六五之吉，有慶也。上九：何天之衢，亨。《象》曰：何天之衢，道大行也。

第 27 卦　山雷頤　䷚

頤：貞吉，觀頤，自求口實。

《彖》曰：頤，貞吉，養正則吉也。觀頤，觀其所養也。自求口實，觀其自養也。天地養萬物，聖人養賢以及萬民，頤之時大矣哉。

《象》曰：山下有雷，頤，君子以慎言語，節飲食。

初九：舍爾靈龜，觀我朵頤，凶。《象》曰：觀我朵頤，亦不足貴也。六二：顛頤。拂經于丘，頤，征凶。《象》曰：六二征凶，行失類也。六三：拂頤，貞凶，十年勿用，无攸利。《象》曰：十年勿用，道大悖也。六四：顛頤，吉，虎視眈眈，其欲逐逐，无咎。《象》曰：顛頤之吉，上施光也。六五：拂經，居貞，吉，不可涉大川。《象》曰：居貞之吉，順以從上也。上九：由頤，厲，吉，利涉大川。《象》曰：由頤厲吉，大有慶也。

第 28 卦 澤風大過 ䷛

大過：棟撓，利有攸往，亨。

《彖》曰：大過，大者過也。棟撓，本末弱也。剛過而中，巽而說行，利有攸往，乃亨。大過之時大矣哉。

《象》曰：澤滅木，大過，君子以獨立不懼，遯世无悶。

初六：藉用白茅，无咎。《象》曰：藉用白茅，柔在下也。九二：枯楊生稊，老夫得其女妻，无不利。《象》曰：老夫女妻，過以相與也。九三：棟橈，凶。《象》曰：棟橈之凶，不可以有輔也。九四：棟隆，吉，有它吝。《象》曰：棟隆之吉，不橈乎下也。九五：枯楊生華，老婦得其士夫，无咎无譽。《象》曰：枯楊生華，何可久也。老婦士夫，亦可醜也。上六：過涉滅頂，凶，无咎。《象》曰：過涉之凶，不可咎也。

第 29 卦 坎為水 ䷜

習坎：有孚維心，亨，行有尚。

《彖》曰：習坎，重險也。水流而不盈，行險而不失其信。維心，亨，乃以剛中也。行有尚，往有功也。天險不可升也，地險山川丘陵也，王公設險以守其國，險之時用大矣哉。

《象》曰：水洊至，習坎，君子以常德行，習教事。

初六：習坎，入于坎窞，凶。《象》曰：習坎入坎，失道凶也。九二：坎有險，求小得。《象》曰：求小得，未出中也。六三：來之坎坎，險且枕，入于坎窞，勿用。《象》曰：來之坎坎，終无功也。六四：樽酒簋貳，用缶，納約自牖，終无咎。《象》曰：樽酒簋貳，剛柔際也。九五：坎不盈，祗既平，无咎。《象》曰：坎不盈，中未大也。上六：係用徽纆，寘于叢棘，三歲不得，凶。《象》曰：上六失道，凶三歲也。

第 30 卦　離爲火　䷝

離：利貞，亨，畜牝牛，吉。

《彖》曰：離，麗也。日月麗乎天，百穀草木麗乎土，重明以麗乎正，乃化成天下。柔麗乎中正，故亨，是以畜牝牛吉也。

《象》曰：明兩作，離，大人以繼明照于四方。

初九：履錯然，敬之，无咎。《象》曰：履錯之敬，以辟咎也。六二：黃離，元吉。《象》曰：黃離元吉，得中道也。九三：日昃之離，不鼓缶而歌，則大耋之嗟，凶。《象》曰：日昃之離，何可久也。九四：突如其來如，焚如，死如，棄如。《象》曰：突如其來如，无所容也。六五：出涕沱若，戚嗟若，吉。《象》曰：六五之吉，離王公也。上九：王用出征，有嘉折首，獲匪其醜，无咎。《象》曰：王用出征，以正邦也。

下經

第 31 卦　澤山咸

咸：亨，利貞，取女吉。

《彖》曰：咸，感也，柔上而剛下，二氣感應以相與。止而說，男下女，是以亨，利貞，取女吉也。天地感而萬物化生，聖人感人心而天下和平。觀其所感，而天地萬物之情可見矣。

《象》曰：山上有澤，咸，君子以虛受人。

初六：咸其拇。《象》曰：咸其拇，志在外也。六二：咸其腓，凶，居吉。《象》曰：雖凶居吉，順不害也。九三：咸其股，執其隨，往吝。《象》曰：咸其股，亦不處也。志在隨人，所執下也。九四：貞吉，悔亡，憧憧往來，朋從爾思。《象》曰：貞吉悔亡，未感害也。憧憧往來，未光大也。九五：咸其脢，无悔。《象》曰：咸其脢，志末也。上六：咸其輔頰舌。《象》曰：咸其輔頰舌，滕口說也。

第 32 卦　雷風恆

恆：亨，无咎，利貞，利有攸往。

《彖》曰：恆，久也，剛上而柔下。雷風相與，巽而動，剛柔皆應，恆。恆，亨，无咎，利貞，久於其道也。

天地之道，恆久而不已也。利有攸往，終則有始也。日月得天而能久照，四時變化而能久成，聖人久於其道而天下化成。觀其所恆，而天地萬物之情可見矣。

《象》曰：雷風，恆，君子以立不易方。

初六：浚恆，貞凶，无攸利。《象》曰：浚恆之凶，始求深也。九二：悔亡。《象》曰：九二悔亡，能久中也。九三：不恆其德，或承之羞，貞吝。《象》曰：不恆其德，无所容也。九四：田无禽。《象》曰：久非其位，安得禽也。六五：恆其德，貞婦人吉，夫子凶。《象》曰：婦人貞吉，從一而終也。夫子制義，從婦凶也。上六：振恆，凶。《象》曰：振恆在上，大无功也。

第33卦　天山遯　䷠

遯：亨，小利貞。

《彖》曰：遯，亨，遯而亨也。剛當位而應，與時行也。小利貞，浸而長也。遯之時義大矣哉。

《象》曰：天下有山，遯，君子以遠小人，不惡而嚴。

初六：遯尾，厲，勿用有攸往。《象》曰：遯尾之厲，不往何災也。六二：執之用黃牛之革，莫之勝說。《象》曰：執用黃牛，固志也。九三：係遯，有疾，厲，畜臣妾，吉。《象》曰：係遯之厲，有疾憊也。畜臣妾吉，不可大事也。九四：好遯，君子吉，小人否。《象》曰：君子好遯，小人否也。九五：嘉遯，貞吉。《象》曰：嘉遯貞吉，以正志也。上九：肥遯，无不利。《象》曰：肥遯无不利，无所疑也。

第 34 卦 雷天大壯 ䷡

大壯：利貞。

《彖》曰：大壯，大者壯也。剛以動，故壯。大壯，利貞，大者正也。正大而天地之情可見矣。

《象》曰：雷在天上，大壯，君子以非禮弗履。

初九：壯于趾，征凶，有孚。《象》曰：壯于趾，其孚窮也。九二：貞吉。《象》曰：九二貞吉，以中也。九三：小人用壯，君子用罔，貞厲，羝羊觸藩，羸其角。《象》曰：小人用壯，君子罔也。九四：貞吉，悔亡，藩決不羸，壯于大輿之輹。《象》曰：藩決不羸，尙往也。六五：喪羊于易，无悔。《象》曰：喪羊于易，位不當也。上六：羝羊觸藩，不能退，不能遂，无攸利，艱則吉。《象》曰：不能退，不能遂，不詳也。艱則吉，咎不長也。

第 35 卦 火地晉 ䷢

晉：康侯用錫馬蕃庶，晝日三接。

《彖》曰：晉，進也。明出地上，順而麗乎大明，柔進而上行，是以康侯用錫馬蕃庶，晝日三接也。

《象》曰：明出地上，晉，君子以自昭明德。

初六：晉如摧如，貞吉，罔孚，裕，无咎。《象》曰：

晉如摧如，獨行正也。裕无咎，未受命也。六二：晉如愁如，貞吉，受茲介福于其王母。《象》曰：受茲介福，以中正也。六三：眾允，悔亡。《象》曰：眾允之志，上行也。九四：晉如鼫鼠，貞厲。《象》曰：鼫鼠貞厲，位不當也。六五：悔亡，失得勿恤，往吉无不利。《象》曰：失得勿恤，往有慶也。上九：晉其角，維用伐邑，厲，吉，无咎，貞吝。《象》曰：維用伐邑，道未光也。

第 36 卦 地火明夷 ䷣

明夷：利艱貞。

《彖》曰：明入地中，明夷，內文明而外柔順，以蒙大難，文王以之。利艱貞，晦其明也。內難而能正其志，箕子以之。

《象》曰：明入地中，明夷，君子以蒞眾用晦而明。

初九：明夷于飛，垂其翼，君子于行，三日不食，有攸往，主人有言。《象》曰：君子于行，義不食也。六二：明夷，夷于左股，用拯馬壯，吉。《象》曰：六二之吉，順以則也。九三：明夷于南狩，得其大首，不可疾貞。《象》曰：南狩之志，乃得大也。六四：入于左腹，獲明夷之心，于出門庭。《象》曰：入于左腹，獲心意也。六五：箕子之明夷，利貞。《象》曰：箕子之貞，明不可息也。上六：不明晦，初登于天，後入于地。《象》曰：初登于天，照四國也。後入于地，失則也。

第 37 卦 風火家人 ䷤

家人：利女貞。

《彖》曰：家人，女正位乎內，男正位乎外。男女正，天地之大義也。家人有嚴君焉，父母之謂也。父父，子子，兄兄，弟弟，夫夫，婦婦，而家道正，正家而天下定矣。

《象》曰：風自火出，家人，君子以言有物而行有恆。

初九：閑有家，悔亡。《象》曰：閑有家，志未變也。六二：无攸遂，在中饋，貞吉。《象》曰：六二之吉，順以巽也。九三：家人嗃嗃，悔厲，吉，婦子嘻嘻，終吝。《象》曰：家人嗃嗃，未失也。婦子嘻嘻，失家節也。六四：富家，大吉。《象》曰：富家大吉，順在位也。九五：王假有家，勿恤，吉。《象》曰：王假有家，交相愛也。上九：有孚，威如，終吉。《象》曰：威如之吉，反身之謂也。

第 38 卦 火澤睽 ䷥

睽：小事吉。

《彖》曰：睽，火動而上，澤動而下，二女同居，其志不同行。說而麗乎明，柔進而上行，得中而應乎剛，是以小事吉。天地睽而其事同也，男女睽而其志通也，萬物睽而其事類也，睽之時用大矣哉。

《象》曰：上火下澤，睽，君子以同而異。

初九：悔亡，喪馬勿逐自復，見惡人，无咎。《象》曰：見惡人，以辟咎也。九二：遇主于巷，无咎。《象》曰：遇主于巷，未失道也。六三：見輿曳，其牛掣，其人天且劓，无初有終。《象》曰：見輿曳，位不當也。无初有終，遇剛也。九四：睽孤，遇元夫，交孚，厲，无咎。《象》曰：交孚无咎，志行也。六五：悔亡，厥宗噬膚，往何咎。《象》曰：厥宗噬膚，往有慶也。上九：睽孤，見豕負塗，載鬼一車，先張之弧，後說之弧，匪寇婚媾，往遇雨則吉。《象》曰：遇雨之吉，羣疑亡也。

第 39 卦 水山蹇 ䷦

蹇：利西南，不利東北，利見大人，貞吉。

《彖》曰：蹇，難也，險在前也，見險而能止，知矣哉。蹇，利西南，往得中也。不利東北，其道窮也。利見大人，往有功也。當位貞吉，以正邦也。蹇之時用大矣哉。

《象》曰：山上有水，蹇，君子以反身修德。

初六：往蹇來譽。《象》曰：往蹇來譽，宜待也。六二：王臣蹇蹇，匪躬之故。《象》曰：王臣蹇蹇，終无尤也。九三：往蹇來反。《象》曰：往蹇來反，內喜之也。六四：往蹇來連。《象》曰：往蹇來連，當位實也。九五：大蹇朋來。《象》曰：大蹇朋來，以中節也。上六：往蹇來碩，吉，利見大人。《象》曰：往蹇來碩，志在內也。利見大人，以從貴也。

第 40 卦 雷水解 ䷧

解：利西南，无所往，其來復吉，有攸往，夙吉。

《彖》曰：解，險以動，動而免乎險，解。解，利西南，往得眾也。其來復吉，乃得中也。有攸往，夙吉，往有功也。天地解而雷雨作，雷雨作而百果草木皆甲坼。解之時大矣哉。

《象》曰：雷雨作，解，君子以赦過宥罪。

初六：无咎。《象》曰：剛柔之際，義无咎也。九二：田獲三狐，得黃矢，貞吉。《象》曰：九二貞吉，得中道也。六三：負且乘，致寇至，貞吝。《象》曰：負且乘，亦可醜也。自我致戎，又誰咎也。九四：解而拇，朋至斯孚。《象》曰：解而拇，未當位也。六五：君子維有解，吉，有孚于小人。《象》曰：君子有解，小人退也。上六：公用射隼于高墉之上，獲之，无不利。《象》曰：公用射隼，以解悖也。

第 41 卦 山澤損 ䷨

損：有孚，元吉，无咎，可貞，利有攸往，曷之用，二簋可用享。

《彖》曰：損，損下益上，其道上行。損而有孚，元吉，无咎，可貞，利有攸往，曷之用，二簋可用享，二簋應有時。損剛益柔有時，損益盈虛，與時偕行。

《象》曰：山下有澤，損，君子以懲忿窒欲。

初九：已事遄往，无咎，酌損之。《象》曰：已事遄往，尚合志也。九二：利貞，征凶，弗損，益之。《象》曰：九二利貞，中以爲志也。六三：三人行則損一人，一人行則得其友。《象》曰：一人行，三則疑也。六四：損其疾，使遄有喜，无咎。《象》曰：損其疾，亦可喜也。六五：或益之十朋之龜弗克違，元吉。《象》曰：六五元吉，自上祐也。上九：弗損，益之，无咎，貞吉，利有攸往，得臣无家。《象》曰：弗損益之，大得志也。

第 42 卦 風雷益 ䷩

益：利有攸往，利涉大川。

《彖》曰：益，損上益下，民說无疆，自上下下，其道大光。利有攸往，中正有慶。利涉大川，木道乃行。益動而巽，日進无疆。天施地生，其益无方。凡益之道，與時偕行。

《象》曰：風雷，益，君子以見善則遷，有過則改。

初九：利用爲大作，元吉，无咎。《象》曰：元吉无咎，下不厚事也。六二：或益之十朋之龜弗克違，永貞吉，王用享于帝，吉。《象》曰：或益之，自外來也。六三：益之，用凶事，无咎，有孚，中行告公用圭。《象》曰：益用凶事，固有之也。六四：中行告公從，利用爲依遷國。《象》曰：告公從，以益志也。九五：有孚，惠心勿問，元吉。有孚，惠我德。《象》曰：有孚惠心，勿問之矣。惠我德，大得志也。上九：莫益之，或擊之，立心勿恆，凶。《象》曰：莫益之，偏辭也。或擊之，自外來也。

第 43 卦 澤天夬 ䷪

夬：揚于王庭，孚號有厲，告自邑，不利即戎，利有攸往。

《彖》曰：夬，決也，剛決柔也，健而說，決而和。揚于王庭，柔乘五剛也。孚號有厲，其危乃光也。告自邑，不利即戎，所尚乃窮也。利有攸往，剛長乃終也。《象》曰：澤上於天，夬，君子以施祿及下，居德則忌。

初九：壯于前趾，往不勝爲咎。《象》曰：不勝而往，咎也。九二：惕號，莫夜有戎，勿恤。《象》曰：有戎勿恤，得中道也。九三：壯于頄，有凶，君子夬夬，獨行遇雨，若濡有慍，无咎。《象》曰：君子夬夬，終无咎也。九四：臀无膚，其行次且，牽羊悔亡，聞言不信。《象》曰：其行次且，位不當也。聞言不信，聰不明也。九五：莧陸夬夬，中行无咎。《象》曰：中行无咎，中未光也。上六：无號，終有凶。《象》曰：无號之凶，終不可長也。

第 44 卦 天風姤 ䷫

姤：女壯，勿用取女。

《彖》曰：姤，遇也，柔遇剛也。勿用取女，不可與長也。天地相遇，品物咸章也。剛遇中正，天下大行也。姤之時義大矣哉。

《象》曰：天下有風，姤，后以施命誥四方。

初六：繫于金柅，貞吉，有攸往，見凶，羸豕孚蹢躅。《象》曰：繫于金柅，柔道牽也。九二：包有魚，无咎，不利賓。《象》曰：包有魚，義不及賓也。九三：臀无膚，其行次且，厲，无大咎。《象》曰：其行次且，行未牽也。九四：包无魚，起凶。《象》曰：无魚之凶，遠民也。九五：以杞包瓜，含章，有隕自天。《象》曰：九五含章，中正也。有隕自天，志不舍命也。上九：姤其角，吝，无咎。《象》曰：姤其角，上窮吝也。

第 45 卦 澤地萃 ䷬

萃：亨，王假有廟，利見大人，亨，利貞，用大牲，吉，利有攸往。

《彖》曰：萃，聚也。順以說，剛中而應，故聚也。王假有廟，致孝享也。利見大人亨，聚以正也。用大牲吉，利有攸往，順天命也。觀其所聚，而天地萬物之情可見矣。

《象》曰：澤上於地，萃，君子以除戎器，戒不虞。

初六：有孚不終，乃亂乃萃，若號，一握為笑，勿恤，往无咎。《象》曰：乃亂乃萃，其志亂也。六二：引吉，无咎，孚乃利用禴。《象》曰：引吉无咎，中未變也。六三：萃如嗟如，无攸利，往无咎，小吝。《象》曰：往无咎，上巽也。九四：大吉，无咎。《象》曰：大吉无咎，位不當也。九五：萃有位，无咎，匪孚，元永貞，悔亡。《象》曰：萃有位，志未光也。上六：齎咨涕洟，无咎。《象》曰：齎咨涕洟，未安上也。

第 46 卦 地風升 ䷭

升：元亨，用見大人，勿恤，南征吉。

《彖》曰：柔以時升，巽而順，剛中而應，是以大亨。用見大人，勿恤，有慶也。南征吉，志行也。

《象》曰：地中生木，升，君子以順德，積小以高大。

初六：允升，大吉。《象》曰：允升大吉，上合志也。九二：孚乃利用禴，无咎。《象》曰：九二之孚，有喜也。九三：升虛邑。《象》曰：升虛邑，无所疑也。六四：王用亨于岐山，吉，无咎。《象》曰：王用亨于岐山。順事也。六五：貞吉，升階。《象》曰：貞吉升階，大得志也。上六：冥升，利于不息之貞。《象》曰：冥升在上，消不富也。

第 47 卦 澤水困 ䷮

困：亨，貞大人吉，无咎，有言不信。

《彖》曰：困，剛揜也。險以說，困而不失其所亨，其唯君子乎。貞大人吉，以剛中也。有言不信，尙口乃窮也。

《象》曰：澤无水，困，君子以致命遂志。

初六：臀困于株木，入于幽谷，三歲不覿。《象》曰：入于幽谷，幽不明也。九二：困于酒食，朱紱方來，利用享祀，征凶，无咎。《象》曰：困于酒食，中有慶也。六三：困于石，據于蒺蔾，入于其宮，不見其妻，凶。《象》曰：據于蒺蔾，乘剛也。入于其宮，不見其妻，不祥也。九四：來徐徐，困于金車，吝，有終。《象》曰：來徐徐，志在下也。雖不當位，有與也。九五：劓刖，困于赤紱，乃徐有說，利用祭祀。《象》曰：劓刖，志未得也。乃徐有說，以中直也。利用祭祀，受福也。上六：困于葛藟，于臲卼，曰動悔有悔，征吉。《象》曰：困于葛藟，未當也。動悔有悔，吉行也。

第 48 卦　水風井 ䷯

井：改邑不改井，无喪无得，往來井井，汔至亦未繘井，羸其瓶，凶。

《彖》曰：巽乎水而上水，井，井養而不窮也。改邑不改井，乃以剛中也。汔至亦未繘井，未有功也。羸其瓶，是以凶也。

《象》曰：木上有水，井，君子以勞民勸相。

初六：井泥不食，舊井无禽。《象》曰：井泥不食，下也。舊井无禽，時舍也。九二：井谷射鮒，甕敝漏。《象》曰：井谷射鮒，无與也。九三：井渫不食，爲我心惻，可用汲，王明，並受其福。《象》曰：井渫不食，行惻也。

求王明，受福也。六四：井甃，无咎。《象》曰：井甃无咎，脩井也。九五：井洌寒泉，食。《象》曰：寒泉之食，中正也。上六：井收，勿幕有孚，元吉。《象》曰：元吉在上，大成也。

第49卦　澤火革 ䷰

革：已日乃孚，元亨，利貞，悔亡。

《彖》曰：革，水火相息，二女同居，其志不相得曰革。已日乃孚，革而信之，文明以說。大亨以正，革而當，其悔乃亡。天地革而四時成，湯武革命，順乎天而應乎人。革之時大矣哉。

《象》曰：澤中有火，革，君子以治曆明時。

初九：鞏用黃牛之革。《象》曰：鞏用黃牛，不可以有為也。六二：已日乃革之，征吉，无咎。《象》曰：已日革之，行有嘉也。九三：征凶，貞厲，革言三就，有孚。《象》曰：革言三就，又何之矣。九四：悔亡，有孚改命，吉。《象》曰：改命之吉，信志也。九五：大人虎變，未占有孚。《象》曰：大人虎變，其文炳也。上六：君子豹變，小人革面，征凶，居貞吉。《象》曰：君子豹變，其文蔚也。小人革面，順以從君也。

第50卦　火風鼎 ䷱

鼎：元吉，亨。

《彖》曰：鼎，象也。以木巽火，亨飪也。聖人亨以享上帝，而大亨以養聖賢。巽而耳目聰明，柔進而上行，得中而應乎剛，是以元亨。

《象》曰：木上有火，鼎，君子以正位凝命。

初六：鼎顛趾，利出否，得妾以其子，无咎。《象》曰：鼎顛趾，未悖也。利出否，以從貴也。九二：鼎有實，我仇有疾，不我能即，吉。《象》曰：鼎有實，慎所之也。我仇有疾，終无尤也。九三：鼎耳革，其行塞，雉膏不食，方雨虧悔，終吉。《象》曰：鼎耳革，失其義也。九四：鼎折足，覆公餗，其形渥，凶。《象》曰：覆公餗，信如何也。六五：鼎黃耳金鉉，利貞。《象》曰：鼎黃耳，中以爲實也。上九：鼎玉鉉，大吉，无不利。《象》曰：玉鉉在上，剛柔節也。

第 51 卦 震爲雷 ䷲

震：亨，震來虩虩，笑言啞啞，震驚百里，不喪匕鬯。

《彖》曰：震，亨，震來虩虩，恐致福也。笑言啞啞，後有則也。震驚百里，驚遠而懼邇也。出可以守宗廟社稷，以爲祭主也。

《象》曰：洊雷，震，君子以恐懼脩省。

初九：震來虩虩，後笑言啞啞，吉。《象》曰：震來虩虩，恐致福也。笑言啞啞，後有則也。六二：震來，厲，億喪貝，躋于九陵，勿逐，七日得。《象》曰：震來厲，乘剛也。六三：震蘇蘇，震行无眚。《象》曰：震蘇蘇，位不當也。九四：震遂泥。《象》曰：震遂泥，未光也。六五：震往來，厲，意无喪有事。《象》曰：震往來厲，危行也。其事在中，大无喪也。上六：震索索，視矍矍，征凶，震不于其躬，于其鄰，无咎，婚媾有言。《象》曰：震索索，中未得也。雖凶无咎，畏鄰戒也。

第 52 卦 艮爲山 ䷳

艮其背，不獲其身，行其庭，不見其人，无咎。

《彖》曰：艮，止也。時止則止，時行則行，動靜不失其時，其道光明。艮其止，止其所也，上下敵應，不相與也，是以不獲其身。行其庭不見其人，无咎也。

《象》曰：兼山，艮，君子以思不出其位。

初六：艮其趾，无咎，利永貞。《象》曰：艮其趾，未失正也。六二：艮其腓，不拯其隨，其心不快。《象》曰：不拯其隨，未退聽也。九三：艮其限，列其夤，厲薰心。《象》曰：艮其限，危薰心也。六四：艮其身，无咎。《象》曰：艮其身，止諸躬也。六五：艮其輔，言有序，悔亡。《象》曰：艮其輔，以中正也。上九：敦艮，吉。《象》曰：敦艮之吉，以厚終也。

第 53 卦 風山漸 ䷴

漸：女歸吉，利貞。

《彖》曰：漸，之進也。女歸吉也，進得位，往有功也。進以正，可以正邦也。其位剛得中也，止而巽，動不窮也。

《象》曰：山上有木，漸，君子以居賢德善俗。

初六：鴻漸于干，小子厲，有言，无咎。《象》曰：小子之厲，義无咎也。六二：鴻漸于磐，飲食衎衎，吉。《象》曰：飲食衎衎，不素飽也。九三：鴻漸于陸，夫征不復，婦孕不育，凶，利禦寇。《象》曰：夫征不復，離羣醜也。婦孕不育，失其道也。利用禦寇，順相保也。六四：鴻漸于木，或得其桷，无咎。《象》曰：或得其桷，順以巽也。九五：鴻漸于陵，婦三歲不孕，終莫之勝，吉。《象》曰：終莫之勝吉，得所願也。上九：鴻漸于陸，其羽可用爲儀，吉。《象》曰：其羽可用爲儀吉，不可亂也。

第 54 卦　雷澤歸妹　䷵

歸妹：征凶，无攸利。

《彖》曰：歸妹，天地之大義也，天地不交而萬物不興，歸妹，人之終始也。說以動，所歸妹也。征凶，位不當也。无攸利，柔乘剛也。

《象》曰：澤上有雷，歸妹，君子以永終知敝。

初九：歸妹以娣，跛能履，征吉。《象》曰：歸妹以娣，以恆也。跛能履，吉相承也。九二：眇能視，利幽人之貞。《象》曰：利幽人之貞，未變常也。六三：歸妹以須，反歸以娣。《象》曰：歸妹以須，未當也。九四：歸妹愆期，遲歸有時。《象》曰：愆期之志，有待而行也。六五：帝乙歸妹，其君之袂，不如其娣之袂良，月幾望，吉。《象》曰：帝乙歸妹，不如其娣之袂良也。其位在中，以貴行也。上六：女承筐无實，士刲羊无血，无攸利。《象》曰：上六无實，承虛筐也。

第 55 卦 雷火豐 ䷶

豐：亨，王假之，勿憂，宜日中。

《彖》曰：豐，大也。明以動，故豐。王假之，尚大也。勿憂，宜日中，宜照天下也。日中則昃，月盈則食，天地盈虛，與時消息，而況於人乎？況於鬼神乎？

《象》曰：雷電皆至，豐，君子以折獄致刑。

初九：遇其配主，雖旬无咎，往有尚。《象》曰：雖旬无咎，過旬災也。六二：豐其蔀，日中見斗，往得疑疾，有孚發若，吉。《象》曰：有孚發若，信以發志也。九三：豐其沛，日中見沬，折其右肱，无咎。《象》曰：豐其沛，不可大事也。折其右肱，終不可用也。九四：豐其蔀，日中見斗，遇其夷主，吉。《象》曰：豐其蔀，位不當也。日中見斗，幽不明也。遇其夷主，吉行也。六五：來章，有慶譽，吉。《象》曰：六五之吉，有慶也。上六：豐其屋，蔀其家，闚其戶，闃其无人，三歲不覿，凶。《象》曰：豐其屋，天際翔也。闚其戶，闃其无人，自藏也。

第 56 卦 火山旅

旅：小亨，旅貞吉。

《彖》曰：旅，小亨，柔得中乎外而順乎剛，止而麗乎明，是以小亨，旅貞吉也。旅之時義大矣哉。

《象》曰：山上有火，旅，君子以明愼用刑而不留獄。

初六：旅瑣瑣。斯其所取災。《象》曰：旅瑣瑣，志窮災也。六二：旅即次，懷其 資，得童僕貞。《象》曰：得童僕貞，終无尤也。九三：旅焚其次，喪其童僕，貞厲。《象》曰：旅焚其次，亦以傷矣。以旅與下，其義喪也。九四：旅于處，得其資斧，我心不快。《象》曰：旅于處，未得位也。得其資斧，心未快也。六五：射雉一矢亡，終以譽命。《象》曰：終以譽命，上逮也。上九：鳥焚其巢，旅人先笑後號咷，喪牛于易，凶。《象》曰：以旅在上，其義焚也。喪牛于易，終莫之聞也。

第 57 卦 巽爲風

巽：小亨，利有攸往，利見大人。

《彖》曰：重巽以申命，剛巽乎中正而志行，柔皆順乎剛，是以小亨，利有攸往，利見大人。

《象》曰：隨風，巽，君子以申命行事。

初六：進退，利武人之貞。《象》曰：進退，志疑也。

利武人之貞，志治也。九二：巽在牀下，用史巫紛若，吉，无咎。《象》曰：紛若之吉，得中也。九三：頻巽，吝。《象》曰：頻巽之吝，志窮也。六四：悔亡，田獲三品。《象》曰：田獲三品，有功也。九五：貞吉，悔亡，无不利，无初有終，先庚三日，後庚三日，吉。《象》曰：九五之吉，位正中也。上九：巽在牀下，喪其資斧，貞凶。《象》曰：巽在牀下，上窮也。喪其資斧，正乎凶也。

第 58 卦　兌為澤 ䷹

兌：亨，利貞。

《彖》曰：兌，說也。剛中而柔外，說以利貞，是以順乎天而應乎人。說以先民，民忘其勞。說以犯難，民忘其死。說之大，民勸矣哉。

《象》曰：麗澤，兌，君子以朋友講習。

初九：和兌，吉。《象》曰：和兌之吉，行未疑也。九二：孚兌，吉，悔亡。《象》曰：孚兌之吉，信志也。六三：來兌，凶。《象》曰：來兌之凶，位不當也。九四：商兌，未寧，介疾有喜。《象》曰：九四之喜，有慶也。九五：孚于剝，有厲。《象》曰：孚于剝，位正當也。上六：引兌。《象》曰：上六引兌，未光也。

第 59 卦 風水渙 ䷺

渙：亨，王假有廟，利涉大川，利貞。

《彖》曰：渙，亨，剛來而不窮，柔得位乎外而上同。王假有廟，王乃在中也。利涉大川，乘木有功也。

《象》曰：風行水上，渙，先王以享于帝立廟。

初六：用拯馬壯，吉。《象》曰：初六之吉，順也。九二：渙奔其机，悔亡。《象》曰：渙奔其机，得願也。六三：渙其躬，无悔。《象》曰：渙其躬，志在外也。六四：渙其羣，元吉，渙有丘，匪夷所思。《象》曰：渙其羣元吉，光大也。九五：渙汗其大號，渙，王居，无咎。《象》曰：王居无咎，正位也。上九：渙其血，去逖出，无咎。《象》曰：渙其血，遠害也。

第 60 卦 水澤節 ䷻

節：亨，苦節不可貞。

《彖》曰：節，亨，剛柔分而剛得中。苦節不可貞，其道窮也。說以行險，當位以節，中正以通，天地節而四時成，節以制度，不傷財，不害民。

《象》曰：澤上有水，節，君子以制數度，議德行。

初九：不出戶庭，无咎。《象》曰：不出戶庭，知通塞也。九二：不出門庭，凶。《象》曰：不出門庭凶，失時極也。六三：不節若，則嗟若，无咎。《象》曰：不節之嗟，又誰咎也。六四：安節，亨。《象》曰：安節之亨，承上道也。九五：甘節，吉，往有尙。《象》曰：甘節之吉，居位中也。上六：苦節，貞凶，悔亡。《象》曰：苦節貞凶，其道窮也。

第 61 卦 風澤中孚 ䷼

中孚：豚魚吉，利涉大川，利貞。

《彖》曰：中孚，柔在內而剛得中，說而巽孚，乃化邦也。豚魚吉，信及豚魚也。利涉大川，乘木舟虛也。中孚以利貞，乃應乎天也。

《象》曰：澤上有風，中孚，君子以議獄緩死。

初九：虞吉，有它不燕。《象》曰：初九虞吉，志未變也。九二：鶴鳴在陰，其子和之。我有好爵，吾與爾靡之。《象》曰：其子和之，中心願也。六三：得敵，或鼓或罷，或泣或歌。《象》曰：或鼓或罷，位不當也。六四：月幾望，馬匹亡，无咎。《象》曰：馬匹亡，絕類上也。九五：有孚攣如，无咎。《象》曰：有孚攣如，位正當也。上九：翰音登于天，貞凶。《象》曰：翰音登于天，何可長也。

第 62 卦 雷山小過 ䷽

小過：亨，利貞，可小事，不可大事，飛鳥遺之音，不宜上，宜下，大吉。

《彖》曰：小過，小者過而亨也。過以利貞，與時行也。柔得中，是以小事吉也。剛失位而不中，是以不可大事也。有飛鳥之象焉，飛鳥遺之音，不宜上，宜下，大吉，上逆而下順也。

《象》曰：山上有雷，小過，君子以行過乎恭，喪過乎哀，用過乎儉。

初六：飛鳥以凶。《象》曰：飛鳥以凶，不可如何也。六二：過其祖，遇其妣，不及其君，遇其臣，无咎。《象》曰：不及其君，臣不可過也。九三：弗過防之，從或戕之，凶。《象》曰：從或戕之，凶如何也。九四：无咎，弗過遇之，往厲必戒，勿用永貞。《象》曰：弗過遇之，位不當也。往厲必戒，終不可長也。六五：密雲不雨，自我西郊，公弋取彼在穴。《象》曰：密雲不雨，已上也。上六：弗遇過之，飛鳥離之，凶，是謂災眚。《象》曰：弗遇過之，已亢也。

第 63 卦　水火既濟 ䷾

既濟：亨，小利貞，初吉，終亂。

《彖》曰：既濟，亨，小者亨也。利貞，剛柔正而位當也。初吉，柔得中也。終止則亂，其道窮也。

《象》曰：水在火上，既濟，君子以思患而豫防之。

初九：曳其輪，濡其尾，无咎。《象》曰：曳其輪，義无咎也。六二：婦喪其茀，勿逐，七日得。《象》曰：

七日得，以中道也。九三：高宗伐鬼方，三年克之，小人勿用。《象》曰：三年克之，憊也。六四：繻有衣袽，終日戒。《象》曰：終日戒，有所疑也。九五：東鄰殺牛，不如西鄰之禴祭，實受其福。《象》曰：東鄰殺牛，不如西鄰之時也。實受其福，吉大來也。上六：濡其首，厲。《象》曰：濡其首厲，何可久也。

第 64 卦 火水未濟 ䷿

未濟：亨，小狐汔濟，濡其尾，无攸利。

《彖》曰：未濟，亨，柔得中也。小狐汔濟，未出中也。濡其尾，无攸利，不續終也。雖不當位，剛柔應也。《象》曰：火在水上，未濟，君子以慎辨物居方。

初六：濡其尾，吝。《象》曰：濡其尾，亦不知極也。九二：曳其輪，貞吉。《象》曰：九二貞吉，中以行正也。六三：未濟征凶，利涉大川。《象》曰：未濟征凶，位不當也。九四：貞吉，悔亡，震用伐鬼方，三年有賞于大國。《象》曰：貞吉悔亡，志行也。六五：貞吉，无悔，君子之光，有孚吉。《象》曰：君子之光，其暉吉也。上九：有孚于飲酒，无咎，濡其首，有孚失是。《象》曰：飲酒濡首，亦不知節也。

繫辭上

天尊地卑，乾坤定矣。卑高以陳，貴賤位矣。動靜有常，剛柔斷矣。方以類聚，物以羣分，吉凶生矣。在天成象，在地成形，變化見矣。是故剛柔相摩，八卦相盪，鼓之以雷霆，潤之以風雨。日月運行，一寒一暑。乾道成男，坤道成女。乾知大始，坤作成物。乾以易知，坤以簡能。易則易知，簡則易從。易知則有親，易從則有功。有親則可久，有功則可大。可久則賢人之德，可大則賢人之業。易簡而天下之理得矣，天下之理得而成位乎其中矣。

聖人設卦觀象，繫辭焉而明吉凶，剛柔相推而生變化。是故吉凶者，失得之象也。悔吝者，憂虞之象也。變化者，進退之象也。剛柔者，晝夜之象也。六爻之動，三極之道也。是故君子所居而安者，《易》之序也。所樂而玩者，爻之辭也。是故君子居則觀其象而玩其辭，動則觀其變而玩其占。是以自天祐之，吉无不利。

彖者，言乎象者也。爻者，言乎變者也。吉凶者，言乎其失得也。悔吝者，言乎其小疵也。无咎者，善補過也。是故列貴賤者存乎位，齊小大者存乎卦，辯吉凶者存乎辭，憂悔吝者存乎介，震无咎者存乎悔。是故卦有小大，辭有險易。辭也者，各指其所之。《易》與天地準，故能彌綸天地之道。仰以觀於天文，俯以察於地理，是故知幽明之故。原始反終，故知死生之說。

精氣爲物，遊魂爲變，是故知鬼神之情狀。與天地相似，故不違。知周乎萬物而道濟天下，故不過。旁行而不流，樂天知命，故不憂。安土敦乎仁，故能愛。範圍天地之化而不過，曲成萬物而不遺，通乎晝夜之道而知，故神无方而易无體。一陰一陽之謂道，繼之者善也，成之者性也。仁者見之謂之仁，知者見之謂之知，百姓日用而不知，故君子之道鮮矣。

顯諸仁，藏諸用，鼓萬物而不與聖人同憂。盛德大業，至矣哉。富有之謂大業，日新之謂盛德，生生之謂易，成象之謂乾，效法之謂坤。極數知來之謂占，通變之謂事，陰陽不測之謂神。夫《易》廣矣大矣，以言乎遠則不禦，以言乎邇則靜而正，以言乎天地之間則備矣。夫乾，其靜也專，其動也直，是以大生焉。夫坤，其靜也翕，其動也闢，是以廣生焉。廣大配天地，變通配四時，陰陽之義配日月，易簡之善配至德。子曰：「《易》其至矣乎！夫《易》，聖人所以崇德而廣業也。知崇禮卑，崇效天，卑法地，天地設位而《易》行乎其中矣。成性存存，道義之門。」

聖人有以見天下之賾，而擬諸其形容，象其物宜，是故謂之象。聖人有以見天下之動，而觀其會通，以行其典禮，繫辭焉以斷其吉凶，是故謂之爻。言天下之至賾而不可惡也，言天下之至動而不可亂也。擬之而後言，議之而後動，擬議以成其變化。鳴鶴在陰，其子和之。我有好爵，吾與爾靡之。子曰：「君子居其室，出其言善，則千里之外應之，況其邇者乎？居其室，出其言不善，則千里之外違之，況其邇者乎？言出乎身，加乎民，行發乎邇，見乎遠。言行君子之樞機，樞機之發，榮辱之主也。言行，君子之所以動天地也，可不慎乎？」同人先號咷而後笑。子曰：「君子之道，或出或處，或默或語。二人同心，其利斷金。同心之言，其臭如蘭。」

初六，藉用白茅，无咎。子曰：「苟錯諸地而可矣。藉之用茅，何咎之有？慎之至也。夫茅之為物薄，而用可重也。慎斯術也以往，其无所失矣。」勞謙，君子有終，吉。子曰：「勞而不伐，有功而不德，厚之至也。語以其功下人者也。德言盛，禮言恭。謙也者，致恭以存其位者也。」亢龍有悔。子曰：「貴而无位，高而无民，賢人在下位而无輔，是以動而有悔也。」不出戶庭，无咎。子曰：「亂之所生也，則言語以爲階。君不密則失臣，臣不密則失身，幾事不密則害成，是以君子愼密而不出也。」子曰：「作《易》者其知盜！《易》曰『負且乘，致寇至』。負也者，小人之事也。乘也者，君子之器也。小人而乘君子之器，盜思奪之矣。上慢下暴，盜思伐之矣。慢藏誨盜，冶容誨淫。《易》曰『負且乘，致寇至』，盜之招也。」

大衍之數五十，其用四十有九，分而爲二以象兩，掛一以象三，揲之以四以象四時，歸奇於扐以象閏，五歲再閏，故再扐而後掛。天數五，地數五，五位相得而各有合。天數二十有五，地數三十。凡天地之數五十有五，此所以成變化而行鬼神也。乾之策二百一十有六，坤之策百四十有四，凡三百有六十，當期之日。二篇之策，萬有一千五百二十，當萬物之數也。是故四營而成《易》，十有八變而成卦，八卦而小成，引而伸之，觸類而長之，天下之能事畢矣。顯道，神德行，是故可與酬酢，可與祐神矣。

子曰：「知變化之道者，其知神之所爲乎！」《易》有聖人之道四焉：以言者尙其辭，以動者尙其變，以制器者尙其象，以卜筮者尙其占。是以君子將有爲也，將有行也，問焉而以言。其受命也如響，无有遠近幽深，遂知來物。非天下之至精，其孰能與於此？參伍以變，錯綜其數。通其變遂成天下之文，極其數遂定天下之象。非天下之至變，其孰能與於此？《易》无思也，无爲也，寂然不動，感而遂通天下之故。非天下之至神，其孰能與於此？夫《易》，聖人之所以極深而研幾也。唯深也，故能通天下之志。唯幾也，故能成天下之務。唯神也，故不疾而速，不行而至。子曰「《易》有聖人之道四焉」者，此之謂也。

天一，地二，天三，地四，天五，地六，天七，地八，天九，地十。子曰：「夫《易》何爲者也？夫《易》開物成務，冒天下之道，如斯而已者也。」是故聖人以通天下之志，以定天下之業，以斷天下之疑。是故蓍之德圓而神，卦之德方以知，六爻之義易以貢。聖人以此洗心，退藏於密，吉凶與民同患，神以知來，知以藏往，其孰能與此哉？古之聰明叡知，神武而不殺者夫，是以明於天之道，而察於民之故，是興神物以前民用。聖人以此齊戒，以神明其德夫。是故闔戶謂之坤，闢戶謂之乾，一闔一闢謂之變，往來不窮謂之通，見乃謂之象，形乃謂之器，制而用之謂之法，利用出入，民咸用之謂之神。

是故《易》有太極，是生兩儀，兩儀生四象，四象生八卦，八卦定吉凶，吉凶生大業。是故法象莫大乎天地，變通莫大乎四時，縣象著明莫大乎日月，崇高莫大乎富貴。備物致用，立成器以爲天下利，莫大乎聖人。探賾索隱，鉤深致遠，以定天下之吉凶，成天下之亹亹者，莫大乎蓍龜。是故天生神物，聖人則之。天地變化，聖人效之。天垂象，見吉凶，聖人象之。河出圖，洛出書，聖人則之。《易》有四象，所以示也。繫辭焉，所以告也。定之以吉凶，所以斷也。《易》曰「自天祐之，吉无不利」。子曰：「祐者助也，天之所助者順也，人之所助者信也。履信思乎順，又以尚賢也。是以自天祐之，吉无不利也。」

子曰：「書不盡言，言不盡意。」然則聖人之意，其不可見乎？子曰：「聖人立象以盡意，設卦以盡情僞，繫辭以盡其言，變而通之以盡利，鼓之舞之以盡神。」乾坤，其《易》之緼邪？乾坤成列，而《易》立乎其中矣。乾坤毀則无以見《易》。《易》不可見，則乾坤或幾乎息矣。是故形而上者謂之道，形而下者謂之器，化而裁之謂之變，推而行之謂之通，舉而錯之天下之民，謂之事業。是故夫象，聖人有以見天下之賾，而擬諸其形容，象其物宜，是故謂之象。聖人有以見天下之動，而觀其會通，以行其典禮，繫辭焉以斷其吉凶，是故謂之爻。極天下之賾者存乎卦，鼓天下之動者存乎辭，化而裁之存乎變，推而行之存乎通。神而明之，存乎其人。默而成之，不言而信，存乎德行。

繫辭下

八卦成列，象在其中矣。因而重之，爻在其中矣。剛柔相推，變在其中矣。繫辭焉而命之，動在其中矣。吉凶悔吝者，生乎動者也。剛柔者，立本者也。變通者，趣時者也。吉凶者，貞勝者也。天地之道，貞觀者也。日月之道，貞明者也。天下之動，貞夫一者也。夫乾確然示人易矣，夫坤隤然示人簡矣。爻也者，效此者也。象也者，像此者也。爻象動乎內，吉凶見乎外，功業見乎變，聖人之情見乎辭。天地之大德曰生，聖人之大寶曰位，何以守位曰仁，何以聚人曰財。理財正辭，禁民爲非曰義。

古者包犧氏之王天下也，仰則觀象於天，俯則觀法於地，觀鳥獸之文與地之宜，近取諸身，遠取諸物，於是始作八卦，以通神明之德，以類萬物之情。作結繩而爲罔罟，以佃以漁，蓋取諸離。包犧氏沒，神農氏作，斲木爲耜，揉木爲耒。耒耨之利，以教天下，蓋取諸益。日中爲市，致天下之民，聚天下之貨，交易而退，各得其所，蓋取諸噬嗑。神農氏沒，黃帝堯舜氏作，通其變使民不倦，神而化之，使民宜之。《易》窮則變，變則通，通則久，是以自天祐之，吉无不利。黃帝堯舜垂衣裳而天下治，蓋取諸乾坤。刳木爲舟，剡木爲楫，舟楫之利，以濟不通，致遠以利天下，蓋取諸渙。服牛乘馬，引重致遠，以利天下，蓋取諸隨。重門擊柝，以待暴客，蓋取諸豫。斷木爲杵，掘地爲臼，臼杵之利，萬民以濟，蓋取諸小過。弦木爲弧，剡木爲矢，弧矢之利，以威天下，蓋取諸睽。上古穴居而野處，後世聖人易之以宮室，上棟下宇，以待風雨，蓋取諸大壯。古之葬者，厚衣之以薪，葬之中野，不封不樹，喪期无數。後世聖人易之以棺椁，蓋取諸大過。上古結繩而治，後世聖人易之以書契，百官以治，萬民以察，蓋取諸夬。

是故《易》者象也，象也者像也，彖者材也，爻也者效天下之動者也。是故吉凶生而悔吝著也。陽卦多陰，陰卦多陽，其故何也？陽卦奇，陰卦耦，其德行何也？陽一君而二民，君子之道也。陰二君而一民，小人之道也。《易》曰「憧憧往來，朋從爾思」。子曰：「天下何思何慮，天下同歸而殊塗，一致而百慮。天下何思何慮，日往則月來，月往則日來，日月相推而明生焉。寒往則暑來，暑往則寒來，寒暑相推而歲成焉。往者屈也，來者信也，屈信相感而利生焉。尺蠖之屈，以求信也。龍蛇之蟄，以存身也。精義入神，以致用也。利用安身，以崇德也。過此以往，未之或知也。窮神知化，德之盛也。」

《易》曰「困于石，據于蒺蔾，入于其宮，不見其妻，凶」。子曰：「非所困而困焉，名必辱。非所據而據焉，身必危。既辱且危，死期將至，妻其可得見耶？」《易》曰「公用射隼于高墉之上，獲之无不利」。子曰：「隼者禽也，弓矢者器也，射之者人也。君子藏器於身，待時而動，何不利之有？動而不括，是以出而有獲，語成器而動者也。」子曰：「小人不恥不仁，不畏不義，不見利不勸，不威不懲，小懲而大誡。此小人之福也。《易》曰『屨校滅趾，无咎』，此之謂也。善不積不足以成名，惡不積不足以滅身。小人以小善爲无益而弗爲也，以小惡爲无傷而弗去也。故惡積而不可揜，罪大而不可解。《易》曰『何校滅耳，凶』。」子曰：「危者安其位者也，亡者保其存者也，亂者有其治者也。是故君子安而不忘危，存而不忘亡，治而不忘亂，是以身安而國家可保也。《易》曰『其亡其亡，繫于苞桑』。」子曰：「德薄而位尊，知小而謀大，力小而任重，鮮不及矣。《易》曰『鼎折足，覆公餗，其形渥，凶』，言不勝其任也。」子曰：「知幾其神乎！君子上交不諂，下交不瀆，其知幾乎！幾者動之微，吉之先見者也。君子見幾而作，不俟終日。《易》曰『介于石，不終日，貞吉』，介如石焉，寧用終日，斷可識矣。君子知微知彰，知柔知剛，萬夫之望。」子曰：「顏氏之子，其殆庶幾乎！有不善未嘗不知，知之未嘗復行也。《易》曰『不遠復，无祇悔，元吉』。天地絪縕，萬物化醇，男女構精。萬物化生。《易》曰『三人行則損一人，一人行則得其友』，言致一也。」子曰：「君子安其身而後動，易其心而後語，定其交而後求。君子脩此三者，故全也。危以動，則民不與也。懼以語，則民不應也。无交而求，則民不與也。莫之與，則傷之者至矣。《易》曰『莫益之，或擊之，立心勿恆，凶』。」

子曰：「乾坤其《易》之門邪？乾，陽物也。坤，陰物也。陰陽合德，而剛柔有體，以體天地之撰，以通神明之德。其稱名也雜而不越，於稽其類，其衰世之意邪？夫《易》，彰往而察來，而微顯闡幽。開而當名，辨物正言，斷辭則備矣。其稱名也小，其取類也大。其旨遠，其辭文，其言曲而中，其事肆而隱，因貳以濟民行，以明失得之報。」

《易》之興也，其於中古乎？作《易》者，其有憂患乎？是故履，德之基也。謙，德之柄也。復，德之本也。恆，德之固也。損，德之脩也。益，德之裕也。困，德之辨也。井，德之地也。巽，德之制也。履和而至，謙尊而光，復小而辨於物，恆雜而不厭，損先難而後易，益長裕而不設，困窮而通，井居其所而遷，巽稱而隱。履以和行，謙以制禮，復以自知，恆以一德，損以遠害，益以興利，困以寡怨，井以辯義，巽以行權。

《易》之爲書也不可遠，爲道也屢遷，變動不居，周流六虛，上下无常，剛柔相易，不可爲典要，唯變所適。其出入以度，外內使知懼，又明於憂患與故，无有師保，如臨父母。初率其辭，而揆其方，既有典常，苟非其人，道不虛行。《易》之爲書也，原始要終，以爲質也。六爻相雜，唯其時物也。其初難知，其上易知，本末也。初辭擬之，卒成之終。若夫雜物撰德，辯是與非，則非其中爻不備。噫！亦要存亡吉凶，則居可知矣。知者觀其彖辭，則思過半矣。

二與四同功而異位，其善不同。二多譽，四多懼，近也。柔之爲道，不利遠者，其要无咎，其用柔中也。三與五同功而異位，三多凶，五多功，貴賤之等也。其柔危，其剛勝邪。《易》之爲書也，廣大悉備，有天道焉，有人道焉，有地道焉，兼三材而兩之。故六六者，非它也，三材之道也。道有變動，故曰爻。爻有等，故曰物。物相雜，故曰文。文不當，故吉凶生焉。《易》之興也，其當殷之末世，周之盛德邪？當文王與紂之事邪？是故其辭危。危者使平，易者使傾，其道甚大，百物不廢，懼以終始，其要无咎，此之謂《易》之道也。

夫乾，天下之至健也，德行恆易以知險。夫坤，天下之至順也，德行恆簡以知阻。能說諸心，能研諸侯之慮，定天下之吉凶，成天下之亹亹者。是故變化云爲，吉事有祥，象事知器，占事知來。天地設位，聖人成能。人謀鬼謀，百姓與能。八卦以象告，爻彖以情言。剛柔雜居，而吉凶可見矣。變動以利言，吉凶以情遷，是故愛惡相攻而吉凶生，遠近相取而悔吝生，情僞相感而利害生。凡《易》之情，近而不相得則凶，或害之，悔且吝。將叛者其辭慙，中心疑者其辭枝。吉人之辭寡，躁人之辭多，誣善之人其辭游，失其守者其辭屈。

說卦

昔者聖人之作《易》也，幽贊於神明而生蓍，參天兩地而倚數，觀變於陰陽而立卦，發揮於剛柔而生爻，和順於道德而理於義，窮理盡性以至於命。

昔者聖人之作《易》也，將以順性命之理。是以立天之道，曰陰與陽。立地之道，曰柔與剛。立人之道，曰仁與義，兼三才而兩之。故《易》六畫而成卦，分陰分陽，迭用柔剛。故《易》六位而成章。

天地定位，山澤通氣，雷風相薄，水火不相射。八卦相錯，數往者順，知來者逆，是故《易》逆數也。

雷以動之，風以散之，雨以潤之，日以烜之，艮以止之，兌以說之，乾以君之，坤以藏之。帝出乎震，齊乎巽，相見乎離，致役乎坤，說言乎兌，戰乎乾，勞乎坎，成言乎艮。萬物出乎震。震，東方也。齊乎巽。巽，東南也。齊也者，言萬物之絜齊也。離也者，明也，萬物皆相見，南方之卦也。聖人南面而聽天下，嚮明而治，蓋取諸此也。坤也者，地也，萬物皆致養焉，故曰致役乎坤。兌，正秋也，萬物之所說也，故曰說言乎兌。戰乎乾。乾，西北之卦也，言陰陽相薄也。坎者，水也，正北方之卦也，勞卦也，萬物之所歸也，故曰勞乎坎。艮，東北之卦也，萬物之所成終而所成始也，故曰成言乎艮。

神也者，妙萬物而爲言者也。動萬物者莫疾乎雷，撓萬物者莫疾乎風，燥萬物者莫熯乎火，說萬物者莫說乎澤，潤萬物者莫潤乎水，終萬物始萬物者莫盛乎艮。故水火相逮，雷風不相悖，山澤通氣，然後能變化，既成萬物也。

乾，健也。坤，順也。震，動也。巽，入也。坎，陷也。離，麗也。艮，止也。兌，說也。

乾爲馬，坤爲牛，震爲龍，巽爲雞，坎爲豕，離爲雉，艮爲狗，兌爲羊。

乾爲首，坤爲腹，震爲足，巽爲股，坎爲耳，離爲目，艮爲手，兌爲口。

乾，天也，故稱乎父。坤，地也，故稱乎母。震一索而得男，故謂之長男，巽一索而得女，故謂之長女。坎再索而得男，故謂之中男。離再索而得女，故謂之中女。艮三索而得男，故謂之少男。兌三索而得女，故謂之少女。

乾爲天、爲圜、爲君、爲父、爲玉、爲金、爲寒、爲冰、爲大赤、爲良馬、爲老馬、爲瘠馬、爲駁馬、爲木果。

坤爲地、爲母、爲布、爲釜、爲吝嗇、爲均、爲子母牛、爲大輿、爲文、爲衆、爲柄、其於地也爲黑。

震爲雷、爲龍、爲玄黃、爲旉、爲大塗、爲長子、爲決躁、爲蒼筤竹、爲萑葦。其於馬也爲善鳴、爲馵足、爲作足、爲的顙。其於稼也爲反生，其究爲健、爲蕃鮮。

巽爲木、爲風、爲長女、爲繩直、爲工、爲白、爲長、爲高、爲進退、爲不果、爲臭。其於人也爲寡髮、爲廣顙、爲多白眼、爲近利市三倍。其究爲躁卦。

坎爲水、爲溝瀆、爲隱伏、爲矯輮、爲弓輪。其於人也爲加憂、爲心病、爲耳痛、爲血卦、爲赤。其於馬也爲美脊、爲亟心、爲下首、爲薄蹄、爲曳。其於輿也爲多眚、爲通、爲月、爲盜。其於木也爲堅多心。

離爲火、爲日、爲電、爲中女、爲甲冑、爲戈兵、其於人也爲大腹、爲乾卦、爲鱉、爲蟹、爲蠃、爲蚌、爲龜。

其於木也爲科上槁。

艮爲山、爲徑路、爲小石、爲門闕、爲果蓏、爲閽寺、爲指、爲狗、爲鼠、爲黔喙之屬。其於木也爲堅多節。

兌爲澤、爲少女、爲巫、爲口舌、爲毀折、爲附決。其於地也爲剛鹵、爲妾、爲羊。

序卦

有天地然後萬物生焉，盈天地之間者唯萬物，故受之以屯。屯者，盈也。屯者，物之始生也，物生必蒙。故受之以蒙。蒙者，蒙也，物之穉也。物穉不可不養也，故受之以需。需者，飲食之道也。飲食必有訟，故受之以訟。訟必有衆起，故受之以師。師者，衆也。衆必有所比，故受之以比。比者，比也。比必有所畜，故受之以小畜。物畜然後有禮，故受之以履。履而泰然後安，故受之以泰。泰者，通也。物不可以終通，故受之以否。物不可以終否，故受之以同人。與人同者，物必歸焉，故受之以大有。有大者不可以盈，故受之以謙。有大而能謙必豫，故受之以豫。豫必有隨，故受之以隨。以喜隨人者必有事，故受之以蠱。蠱者，事也。有事而後可大，故受之以臨。臨者，大也。物大然後可觀，故受之以觀。可觀而後有所合，故受之以噬嗑。嗑者，合也。物不可以苟合而已，故受之以賁。賁者，飾也。至飾然後亨則盡矣，故受之以剝。剝者，剝也。物不可以終盡，剝窮上反下，故受之以復。復則不妄矣，故受之以无妄。有无妄然後可畜，故受之以大畜。物畜然後可養，故受之以頤。頤者，養也。不養則不可動，故受之以大過。物不可以終過，故受之以坎。坎者，陷也。陷必有所麗，故受之以離。離者，麗也。

有天地然後有萬物，有萬物然後有男女，有男女然後有夫婦，有夫婦然後有父子，有父子然後有君臣，有君臣然後有上下，有上下然後禮義有所錯。夫婦之道，不可以不久也，故受之以恆。恆者，久也。物不可以久居其所，故受之以遯。遯者，退也。物不可以終遯，故受之以大壯。物不可以終壯，故受之以晉。晉者，進也。進必有所傷，故受之以明夷。夷者，傷也。傷於外者必反於家，故受之以家人。家道窮必乖，故受之以睽。睽者，乖也。乖必有難，故受之以蹇。蹇者，難也。物不可以終難，故受之以解。解者，緩也。緩必有所失，故受之以損。損而不已必益，故受之以益。益而不已必決，故受之有夬。夬者，決也。決必有遇，故受之以姤。姤者，遇也。物相遇而後聚，故受之以萃。萃者，聚也。聚而上者謂之升，故受之以升。升而不已必困，故受之以困。困乎上者必反下，故受之以井。井道不可不革，故受之以革。革物者莫若鼎，故受之以鼎。主器者莫若長子，故受之以震。震者，動也。物不可以終動，止之，故受之以艮。艮者，止也。物不可以終止，故受之以漸。漸者，進也。進必有所歸，故受之以歸妹。得其所歸者必大，故受之以豐。豐者，大也。窮大者必失其居，故受之以旅。旅而无所容，故受之以巽。巽者，入也。入而後說之，故受之以兌。兌者，說也。說而後散之，故受之以渙。渙者，離也。物不可以終離，故受之以節。節而信之，故受之以中孚。有其信者必行之，故受之以小過。有過物者必濟，故受之以既濟。物不可窮也，故受之以未濟終焉。

雜卦

　　乾剛坤柔，比樂師憂。臨觀之義，或與或求。屯見而不失其居，蒙雜而著。震，起也。艮，止也。損益，盛衰之始也。大畜，時也。无妄，災也。萃聚而升不來也。謙輕而豫怠也。噬嗑，食也。賁，无色也。兌見而巽伏也。隨，无故也。蠱則飭也。剝，爛也。復，反也。晉，晝也。明夷，誅也。井通而困相遇也。咸，速也。恆，久也。渙，離也。節，止也。解，緩也。蹇，難也。睽，外也。家人，內也。否泰反其類也。大壯則止，遯則退也。大有，眾也。同人，親也。革，去故也。鼎，取新也。小過，過也。中孚，信也。豐，多故也。親寡，旅也。離上而坎下也。小畜，寡也。履，不處也。需，不進也。訟，不親也。大過，顛也。姤，遇也，柔遇剛也。漸，女歸待男行也。頤，養正也。既濟，定也。歸妹，女之終也。未濟，男之窮也。夬，決也，剛決柔也。君子道長，小人道憂也。